Le massage des bébés

selon la tradition ayurvédique

Kiran Vyas

Danielle Belforti

Sandrine Testas-Lemasson

Le massage des bébés
selon la tradition ayurvédique

Photographies de Jean-François Chavanne

MARABOUT

Avant-propos

Le monde d'aujourd'hui, grâce aux moyens
de communication et de transport modernes,
est devenu bien petit... Les cultures se mélangent,
et chaque civilisation, chaque tradition possède une
multitude de richesses à partager avec chacun d'entre nous.
L'Inde ancienne offre l'art du massage des bébés, et elle ne
demande qu'à en faire profiter chaque mère et chaque père.
Car le massage des bébés n'est pas seulement une tradition.
Il participe à la « création » d'un enfant, d'un adulte
en devenir, épargné par le stress et la fatigue, dans la
recherche d'un bien-être physique, émotionnel et au-delà.

Cet ouvrage a pour but de mettre ce savoir ancestral à votre
portée ; le massage du bébé y est donc décrit avec précision
dans un objectif pratique. Laissons toutefois aux mots et aux
pages la place qui leur revient : transmettre une toute petite
partie de la connaissance, un aperçu du savoir sur le massage
ayurvédique, en gardant à l'esprit que la véritable
connaissance est le fruit de la pratique, du vécu,
de la maturation et de la réelle intégration, pour accéder
au statut de culture.

sommaire

MASSAGE ET AYURVÉDA

À travers le monde, à travers les âges

Le massage est une pratique universelle qui existe dans de nombreuses civilisations anciennes, comme celles de la Chine, de l'Égypte, de la Mésopotamie et de l'Inde. Elle est également connue en Amérique du Sud, en Afrique, au Maghreb ou encore dans le Grand Nord. Si, avec la modernisation, le massage tend à disparaître quelque peu, il reste néanmoins une pratique très vivante, que ce soit sur les trottoirs de Pondichéry, dans les forêts d'Amazonie ou à Paris, dans une famille africaine.

Le massage du bébé est une science et un art présents chez la plupart des êtres vivants : on en observe les prémices chez la majorité des mammifères, qui lèchent leurs nouveau-nés, les stimulent et les éduquent. Il existe un toucher éducatif et un toucher qui sera qualifié de massage, particulièrement visible chez les primates. Au sens large, le massage ayurvédique comprend l'hygiène et la santé du bébé, les douches, les bains et les cataplasmes, les différents exercices et façons de porter un bébé, ainsi que les multiples manières de le masser. Dans de nombreux pays, hier comme aujourd'hui, quand il n'y a pas de médecin à moins de plusieurs jours de marche, le massage constitue l'un des moyens de maintenir un bébé en bonne santé, de renforcer son corps et ses systèmes organiques, ainsi que son développement psychologique.

La tradition indienne

En Inde, le massage est une tradition millénaire. Par rapport à ce qui a pu se passer dans d'autres civilisations, il n'y a pas eu, en Inde, de rupture avec la pratique ancienne, et le massage fait, parmi toutes les attentions et les soins que les parents prodiguent à leurs enfants, toujours partie intégrante de la vie familiale. Il représente une phase particulière, intégrée dans un processus général de bien-être de l'ensemble de la famille. Le massage du bébé se pratique dès le 28e jour après la naissance et se poursuit jusqu'à l'âge de 2 ans environ. C'est la grand-mère qui, traditionnellement, transmet ses connaissances et enseigne les gestes aux parents. En pratique, la mère est souvent au premier plan pour les soins apportés aux bébés, mais la présence du père est bien entendu primordiale pour leur bon développement.

L'ayurvéda, science et philosophie de la vie

L'ayurvéda, tout à la fois science et philosophie, considère l'homme dans sa globalité : celui-ci est un être physique bien sûr, mais il est surtout un être affectif, émotionnel et créatif, un être mental et pensant, un être psychique ou spirituel, qui évolue à travers le temps et se transforme, cherchant à progresser, aussi bien au cours de sa propre existence qu'à l'échelle des siècles.

En sanskrit, le mot *ayur** signifie « vie » ou « élan vital », et le terme *veda** signifie « connaissance ». L'ayurvéda est donc la science de la vie ou l'art de la vie. Il ne s'agit pas simplement, comme on le comprend aujourd'hui, de la médecine indienne, mais aussi de l'art du bien-être, à titre individuel ou collectif : est étudié ce qui est bon pour la vie et ce qui ne l'est pas, les façons saines de vivre et celles qui apportent les douleurs et les maladies.

Pour réaliser ce rêve d'un individu plein d'élan vital et de bonheur, au sein d'une société en état de joie et d'harmonie, l'ayurvéda considère qu'il faut se soigner non seulement quand on est malade mais bien avant que la maladie ne nous approche. De même, les soins ayurvédiques débutent dès la naissance, et même bien avant : il est ainsi conseillé de prendre soin des deux parents et de leur désir d'enfant avant la conception.

L'ayurvéda est divisé en huit branches : la médecine générale (*kaya tchikitsa*), la pédiatrie (*kaumara bhritya**, domaine qui concerne l'enfant de sa conception à l'adolescence), la chirurgie (*shalya tantra*), l'ORL et l'ophtalmologie (*shalakya tantra*), la psychiatrie (*bhuta vidya*), la toxicologie (*agada tantra*), la réjuvénation et l'immunité (*rasayana*), enfin la science de l'énergie et des aphrodisiaques (*vajikarana*).
Le massage et le yoga font partie des piliers de l'ayurvéda.

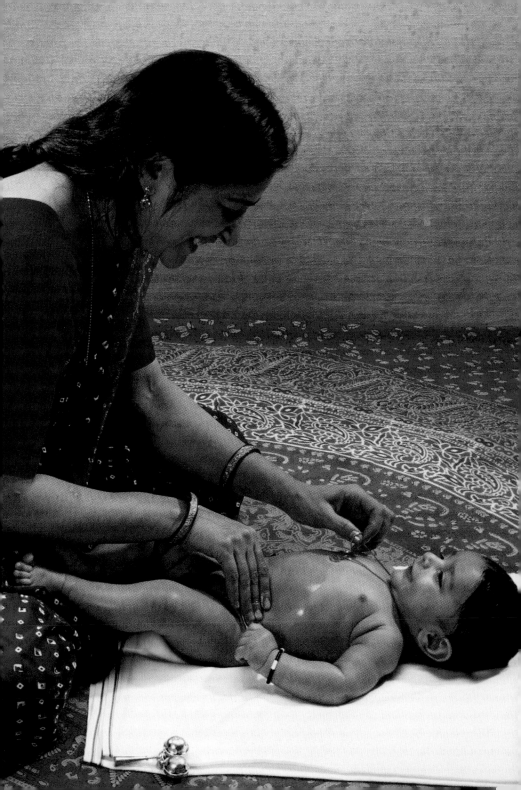

La transmission des connaissances

Le massage a toujours occupé une place de premier plan dans l'ayurvéda, avant même le savoir sur les plantes, les cataplasmes, les tisanes et les décoctions. Sa connaissance se transmettait de mère en fille, de maître à disciple, de père en fils.

La santé n'était pas seulement l'affaire des médecins ayurvédiques, mais faisait l'objet d'une véritable synergie entre les parents, les médecins et la société environnante. Les connaissances ont ainsi été transmises aux jeunes mamans et aux sages-femmes ayurvédiques, qui maîtrisaient parfaitement toutes les disciplines concernant le bien-être du bébé et de sa maman, mais également aux gitans, qui parcouraient le monde. Des travaux historiques ont permis de reconstituer les grands itinéraires le long desquels leurs savoir-faire ont été diffusés : ils sont ainsi passés par le Rajasthan, l'Afghanistan, l'Iran, l'Irak, puis le Moyen-Orient, les Balkans, l'Espagne…

Si ces connaissances, qui ont traversé le temps et l'espace, portent bien sûr avant tout sur la santé, elles concernent également des pratiques artistiques telles que la musique et la danse.

Un savoir immense sur la maternité

Depuis des milliers d'années, l'ayurvéda a développé un savoir extrêmement pointu et complexe sur la maternité et l'enfance. Tout ce qui concerne la santé des parents au moment de la conception est décrit avec d'innombrables précisions qui touchent à l'alimentation, aux exercices physiques, à l'élimination des tensions et des désordres physiologiques et psychologiques, aux conditions idéales pour la conception… Les étapes de la croissance du fœtus sont détaillées, de même que l'état de la maman au cours des neuf mois de grossesse : la transformation du corps, les conseils de santé par l'alimentation, les massages, la vie émotionnelle, la créativité ou l'ouverture aux arts sont autant de domaines qui influent sur le développement harmonieux de l'enfant, dans sa dimension à la fois physique et sacrée. De nombreuses connaissances concernent l'accouchement : son déroulement physiologique mais également la préparation de l'environnement – le lieu de naissance, la présence des différents intervenants…– l'accompagnement de la maman et l'accueil du bébé. Les soins donnés au nouveau-né – le cordon, le bain, les rites, la nourriture et le sommeil – sont également étudiés, ainsi que tout ce qui concerne l'allaitement et la régulation des naissances.

Le bébé est une personne

Selon l'ayurvéda, un bébé est une personne consciente, tout aussi évoluée, voire plus, que ses parents ou la société qui l'entoure. C'est pourquoi la maternité et les attentions portées à la mère et à son enfant sont élevées à un niveau presque sacré.

Un dialogue se noue, des liens se tissent

Le massage offre à l'enfant une communication et un dialogue avec sa mère et son père, et contribue à son équilibre général. Si ce lien, cette « nourriture affective », manque, le bébé se sent en insécurité ; de plus, s'il se trouve dans un contexte où une alimentation riche sur le plan nutritionnel fait défaut, cela risque d'aggraver une situation qu'il aurait pu affronter. Le massage apporte à l'enfant un moment délicieux de partage et de tendresse avec ses parents ; la communication est à la fois non verbale et verbale – par les chants, les paroles… C'est également un don de soi, une expression de l'amour inconditionnel de ses parents. Le massage s'adresse au cœur émotionnel de tous les membres de la famille et rassure l'enfant, lui apportant une sécurité et une confiance intérieures.

D'un point de vue symbolique, le massage unit l'axe horizontal et l'axe vertical, la matérialité et la subtilité, ou la spiritualité : pendant une séance, le bébé allongé représente le plan horizontal, caractéristique du monde tangible et matériel ; la mère ou le père, assis, représente le plan vertical, caractéristique du monde subtil, de l'infini, de l'amour et de l'élévation. Le massage permet de tisser des liens profonds entre l'enfant et ses parents ; parfois, cela est d'autant plus important que, dès leurs premières nuits à la maternité, les bébés sont séparés de leur maman pour qu'elle se repose. C'est pourtant lors de ces tout premiers instants que se nouent les liens.

De peau à peau

Dans les pays occidentaux, la plupart des bébés sont habillés très rapidement après leur naissance, et le contact peau à peau est bien souvent limité à la toilette. Pourtant, la peau est l'organe le plus lourd et le plus étendu ; sur le plan physiologique, elle joue un rôle de nourriture, d'assimilation, d'élimination, de protection et d'information. On dit que des cinq sens le toucher est le plus important.

Le massage procure un sommeil paisible au bébé, une conscience de l'unité de son corps et une excellente stimulation sensorielle, qui lui donnent une grande réceptivité. Il ouvre, étire et détend le corps ; il soulage les tensions auxquelles le bébé est sensible, tels la fatigue ou le bruit. Il donne de la vitalité, rassure et offre un climat de confiance et de sécurité. Ainsi, par son action sur le système nerveux, le massage serait une excellente prévention contre certaines maladies psychosomatiques.

Être en bonne santé

Le massage ayurvédique est un véritable acte de prévention physique et psychologique, assurant la santé d'un enfant à tous les niveaux de son être. Grâce à une sorte d'intuition, la maman peut parvenir par le contact avec son bébé à déceler certains troubles bien avant qu'ils ne se manifestent. Par ailleurs, lorsque ces derniers ont une origine psychosomatique, la simple présence attentive et bienveillante de la maman rassure l'enfant, et un petit massage le soulage en douceur. Le massage du bébé renforce les tissus (*dhatus**) (voir p. 21), favorise l'élimination des toxines (*malas**), stimule les différentes énergies de transformation (*agnis**), harmonise les humeurs (*doshas**) et assure ce que l'ayurvéda définit comme « la bonne santé physique ». Ce sont ces notions de base qui interviennent dans le massage ayurvédique.

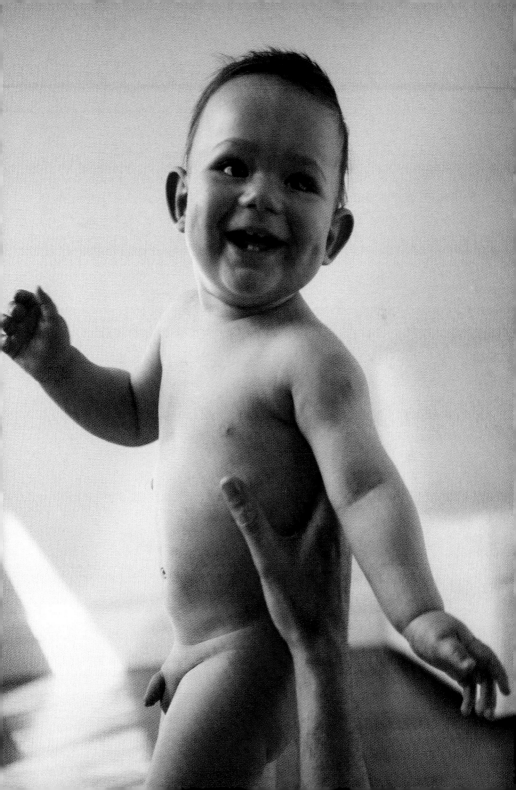

Des bienfaits innombrables

Par les mouvements réalisés et par
les substances utilisées – l'huile le plus
souvent – le massage favorise la
circulation des liquides internes – le sang,
la lymphe et le liquide céphalo-rachidien.
Il renforce et tonifie les muscles,
les détend et les assouplit ; il élimine
les tensions et les blocages ; il consolide
les articulations, nourrit les os et structure
le corps de l'enfant. La peau est nourrie,
sur un plan physiologique et affectif :
elle devient souple, saine et satinée.
L'ensemble de l'organisme du bébé
est renforcé, sa croissance est stimulée.
Le regard brillant, profond et pénétrant
d'un enfant après un massage, son sourire
empreint de calme et de béatitude, son
abandon confiant dans les bras de ses
parents sont autant de manifestations
de cette lumière, que l'on apelle ojas*,
et qui possède l'extraordinaire propriété
de rayonner : c'est un bienfait pour la
famille entière.

Éliminer les toxines

Les toxines constituent tout ce dont le
corps n'a pas besoin à un moment donné.
Cela est valable pour l'aspect physique –
une toxine alimentaire par exemple – ou
pour l'aspect émotionnel – un événement
mal vécu ou une colère. Après la digestion
de la nourriture par l'organisme, il y a
séparation entre les toxines à éliminer
(malas*) et ce qui est bon pour le corps,
ce qui va le nourrir.

Il existe différents types de toxines. Les
trois principales sont les selles (purisha*),
résidus de la digestion, l'urine (mutra*),
porteuse de toxines et d'éléments inutiles,
et la transpiration (prasweda*), qui régule
la température du corps et aide
au maintien du système pileux.
En activant et en renforçant le
métabolisme, le massage participe à une
élimination efficace des toxines du corps.
Par la détente qu'il procure, par le bien-
être qu'il apporte, il est également
une aide inestimable pour évacuer les
tensions ou « toxines émotionnelles ».

Stimuler les énergies de transformation

Selon l'ayurvéda, il existe treize énergies
(agnis*) – le mot sanskrit agni signifie
« feu ».
L'énergie de la digestion et du
métabolisme est désignée par ce concept ;
lui sont associés les concepts de force,
de pouvoir, de santé et de longévité.
Ainsi, l'ensemble du processus de la vie,
le fonctionnement normal des activités
vitales d'un être humain, ne dépend
que de ces énergies. Grâce à elles,
la nourriture peut se transformer en
énergie ; ce sont elles qui donnent la vie
et la joie de vivre. Le massage du bébé
stimule les agnis, favorise la digestion,
soulage des désagréments tels que les
ballonnements ou la constipation. Il est
un gage de santé et renforce l'organisme ;
il crée un « capital santé » fait d'énergie,
de résistance et de force vitale.

LES SEPT « TISSUS »

Le mot sanskrit *dhatus*, qui est souvent traduit par «tissus», signifie « soutenir » ou «nourriture ». Les dhatus sont au nombre de sept. Ils sont liés les uns aux autres par des transformations successives.

Le premier est l'énergie nourricière (*rasa*) : dans un sens large, c'est tout ce que les cinq sens permettent de ressentir et que l'on conserve – ce que l'on voit, ce que l'on entend, ce que l'on sent, mais aussi ce que l'on mange, ce que l'on apprend... Bref tout ce qui nous «nourrit » d'une façon ou d'une autre. Il donne la satisfaction.

Le deuxième correspond au sang (*rakta*) mais aussi à tout ce qui est liquide et nourrit le corps. Il est en lien avec la qualité de la peau.

Le troisième désigne les muscles (*mamsa*) : il est à l'origine de la croissance du corps et lui donne sa force.

Le quatrième est relatif à la graisse (*meda*) : il a pour fonction première de nous faire transpirer et de donner au corps son état huileux et moelleux.

Le cinquième désigne les os (*asthi*) et, par analogie, tout ce qui est solide dans notre corps ; il permet de construire sa charpente ainsi que ses produits d'élimination, les cheveux, les ongles et les poils.

Le sixième correspond à la moelle (*majja*) et se trouve au milieu des os ; c'est le support de l'affectivité et de l'amour.

Le septième enfin correspond à la semence ou tissus séminaux (*shukra*) : il donne aux hommes la capacité d'être patient, l'affectivité envers les femmes et aide à la procréation des enfants ; il se développe sous forme potentielle dans le fœtus et ne se manifeste qu'à partir de l'adolescence.

Au-delà de ce septième tissu se trouve la lumière, l'aura, ou l'immunité (*ojas*). Elle empêche la dégénérescence du corps et de l'esprit, qui circule dans le corps et tout autour ; c'est elle qui donne la beauté à la femme, l'innocence à l'enfant, la force à l'homme ou encore la personnalité propre à chaque être humain.

L'influence des cinq éléments

Le massage s'adapte à la constitution de chaque enfant ; c'est pourquoi il peut se nuancer d'une infinité de variations. La constitution d'une personne, son capital de base, son aspect physique (morphologie, forces et faiblesses en matière de santé...), son aspect psychologique (traits de caractère, réactions, émotions, rêves...) et son aspect subtil, avec les variations dues aux conditions extérieures et intérieures, sont déterminés par des « humeurs » : telle est la traduction française, assez ambiguë, du terme sanskrit *doshas**.

Selon l'ayurvéda, il existe trois « humeurs » : *vata** (ou *vayu**), où prédominent les éléments Éther et Air; *pitta**, où prédominent les éléments Feu et Eau ; *kapha**, où prédominent les éléments Terre et Eau. Chaque être humain possède en lui et en des proportions différentes les cinq éléments : l'Éther (*akasha**), l'Air (*vayu**), le Feu (*agni**), l'Eau (*jala**) et la Terre (*prithvi**). Ce sont ces proportions qui lui donnent sa tendance, sa nature profonde. Il est sans cesse au contact de ces cinq éléments. Or, ce contact est en constante évolution. Ainsi, l'échange, le contact et la fusion de notre être avec ces éléments modifient-ils le rapport des éléments dans notre corps : l'humidité de la nature augmente en nous l'élément Eau, par exemple ; si notre entourage est constitué de personnes irascibles, donc dominées par l'élément

Feu, il nous influencera en nous mettant en colère à notre tour ou, au contraire, en nous rendant d'un calme olympien. Chaque fois que nous mangeons, nous introduisons dans notre corps une certaine proportion de ces éléments ; chaque fois que nous écoutons quelqu'un, que nous lisons quelque chose, certains éléments sont captés et absorbés. (Voir aussi l'encadré « Cinq éléments, cinq énergies », p. 35).

Trois « humeurs », trois natures profondes

Subtile, légère, froide et rugueuse, *vata** est l'énergie qui fait bouger, qui fait marcher ; elle donne la vitesse et le mouvement ; elle court dans le corps, a la capacité de pénétrer partout. Quand cette énergie fait défaut, plus rien n'avance, tout stagne et les éliminations ne se font plus.

Chaude, légère, glissante et liquide, *pitta** est l'énergie lumineuse qui aide à développer les facultés artistiques ainsi que les capacités mathématiques et scientifiques. Elle assure la transformation ; elle est d'une grande intelligence. Froide, lourde, lente, dense et stable, *kapha** confère la structure : cela donne une personne sur qui on peut compter, qui a la voix douce et agréable, qui possède une grande stabilité et une bonne « prise de terre ».

Notre « capital santé » et nos déséquilibres

Chaque être humain est donc déterminé par sa constitution ; cette notion possède un lien fondamental avec la conception et la naissance d'une personne. La nature d'un individu (*prakruti**), la proportion d'« humeurs » (*doshas**)

existant dès sa naissance, est immuable, liée à ses parents et aux circonstances de sa conception. C'est sa « base », l'état dans lequel il se trouve quand il est en bonne santé. À un moment donné de notre existence, nous pouvons connaître le déséquilibre (*vikruti**) de nos « humeurs » par l'influence du milieu extérieur – les saisons, l'ambiance générale, l'alimentation ou l'environnement – et intérieur – les états émotionnels, l'enthousiasme ou la colère. Selon sa constitution de base, chacun réagira d'une façon spécifique à ce déséquilibre. Cette notion permet de comprendre comment, avant même la naissance, l'enfant et ses parents sont liés par un lien puissant et subtil ; elle éclaire également l'importance de la préparation physique et émotionnelle des parents, soulignant leur grande responsabilité envers leurs enfants.

Votre bébé est-il *vata*, *pitta* ou *kapha* ?

D'une manière pratique, il est possible de savoir si un bébé est à prédominance *vata**, *pitta** ou *kapha** ; sous réserve de bien reconnaître les différentes constitutions de base, on peut alors adapter le massage en fonction de chacun.

Si votre bébé est dodu, paisible et indolent, si son corps est souple et son sommeil profond, sa constitution de base est plutôt *kapha*. S'il a des problèmes ORL, s'il vomit des mucosités, son déséquilibre est actuellement *kapha*. Pour combattre et équilibrer l'excès de lourdeur, il faut lui apporter de la légèreté. Votre bébé aimera un massage rapide, comprenant des changements de rythme, réalisé avec de l'huile chaude ou de la farine de pois chiches.

Si votre bébé a des cheveux fins, la peau assez rouge et chaude, s'il transpire facilement et s'il a souvent faim, il est plutôt *pitta*. S'il a tendance à avoir des problèmes de peau et s'il a les fesses rouges, s'il a des selles jaunes ou une tendance à avoir de la diarrhée, s'il est sensible à la lumière, il est actuellement *pitta*. Pour apaiser l'excès de chaleur, on lui apporte de la fraîcheur, par l'atmosphère extérieure, par l'alimentation… Votre bébé aimera un massage effectué avec de l'huile légèrement tiède, aux propriétés apaisantes.

Si votre bébé est fluet, s'il a la peau sèche et froide, s'il est frileux, s'il bouge beaucoup et a le sommeil léger, s'il est nerveux, s'il s'effraie facilement et si ses yeux sont très mobiles, il est plutôt *vata*. S'il est constipé ou s'il a mal au ventre, s'il est inquiet par moments, il est actuellement *vata*. Pour lutter contre l'excès de sécheresse, on équilibre avec une substance grasse – c'est-à-dire de l'huile. Votre bébé appréciera un massage lent, profond et régulier, effectué avec de l'huile bien chaude.

Ce que la mère transmet à son enfant

Le lien entre une maman et son bébé est particulièrement fort au moment de l'allaitement. Grâce à la notion de constitution de base (*prakruti**), il est possible de comprendre les petits dérèglements physiologiques d'un nourrisson. Par exemple, une maman qui, par son état du moment ou son alimentation, révèle une prédominance de l'une de ses « humeurs » (*doshas**) va produire un lait à son image. Son bébé va en quelque sorte absorber l'état de sa maman, qui est calme, tendue, douce ou irritée. Et si le bébé a souvent des problèmes de nez ou de gorge, il se peut que sa maman témoigne d'un excès de *kapha** : dans ce cas, elle peut essayer de manger différemment ou d'éviter les aliments trop gras ou trop froids, mais il est également important qu'elle observe ses propres sentiments et apaise les tensions qui sont en elle. Puissance et subtilité de l'allaitement maternel… Si cet exemple pratique est négatif, il est facile à comprendre. De la même manière, toutes les bonnes choses peuvent être transmises par les liens, par le lait. Cela met également en lumière ce qu'on appelle « le don de soi », ainsi que l'importance de la conscience et de la préparation des parents, à tous les niveaux de leur être, pour accueillir au mieux ce bébé qui va naître. Pour un enfant, la nourriture essentielle est le lait maternel. Mais, avant tout, il a besoin d'une nourriture affective, il a besoin d'amour, de protection et de sécurité, et d'une réelle présence vivante. C'est ce que le massage représente.

SE PRÉPARER EN PROFONDEUR

Tout commence bien avant la naissance

Le massage du bébé commence... un an avant sa naissance. En effet, la période avant la conception est particulièrement importante sur les plans physique, affectif et émotionnel. C'est donc tout d'abord la future maman qui recevra des massages, avant même d'être enceinte.

Ces massages dits « préconception » ont pour objectif de la préparer tant sur un plan physique qu'émotionnel : à ce stade, ils lui permettent d'éliminer tous les petits désordres, de renforcer son corps, de l'assouplir pour accueillir au mieux son précieux invité. Ils l'aident également à prendre peu à peu conscience de son nouveau rôle de mère. Et le papa n'est pas oublié : en éliminant les tensions, en favorisant le bien-être et la santé au sens large, les massages préparent également l'homme à sa future paternité.

Purifier le corps

Un massage tonique est effectué avec un mélange de sel, d'huiles ayurvédiques et de yaourt. Il purifie et nettoie la peau en profondeur, à la manière d'un gommage. Les gestes du massage suivent des trajets spécifiques qui permettent d'éliminer les tensions et les toxines, et qui, dans l'ensemble de l'organisme, activent les circulations sanguine, énergétique et lymphatique. En sanskrit, ce massage se nomme *udgharshana**; il peut être suivi par un massage à l'huile (*abhyanga**), qui adoucit et nourrit le corps.

Éliminer les tensions

Un massage du corps peut être réalisé avec du miel. Les mains adoptent une position et des gestes particuliers, qui produisent un effet de ventouse : le miel, qui constitue l'un des principaux remèdes utilisés en ayurvéda, nourrit les tissus ; les mouvements réalisés permettent de déloger les tensions de la peau et des muscles **1-2**.

Créer une atmosphère délicate

Le massage pratiqué avec une plume de paon est véritablement étonnant. Remplaçant la main, la plume effleure le corps selon des circuits précis ; ce massage extrêmement subtil touche en profondeur et baigne la future maman dans une atmosphère délicate. En Inde, ce massage est pratiqué par des personnes très expérimentées ; il se nomme *mayurpinchh samvahana**.

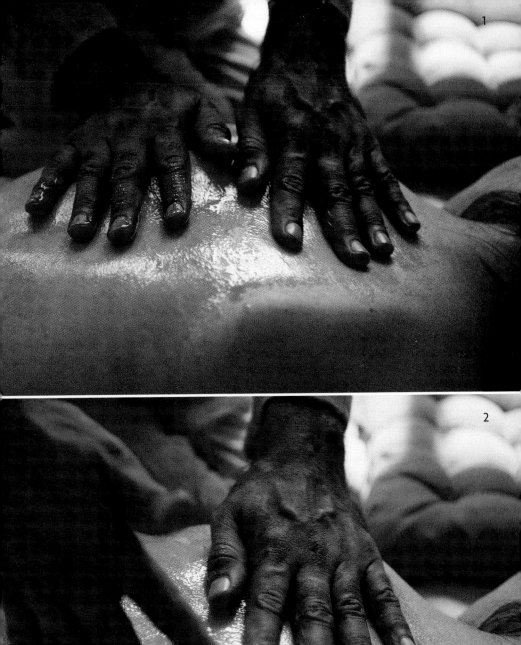

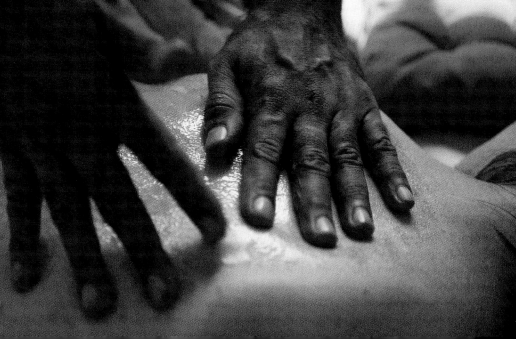

D'autres massages encore

De nombreux autres massages ayurvédiques peuvent être réalisés en ce temps d'avant la conception : par exemple, le massage des pieds avec un petit bol (voir p. 44) ou le massage à la farine de pois chiches. Ils sont alors effectués avec des variantes adaptées à cette période et selon un état d'esprit particulier.

Le massage par le yoga

Le massage par le yoga est une pratique où le masseur installe la femme – ou l'homme – dans des postures de yoga. Si la personne massée ne fait donc aucun effort direct, elle accompagne tous les mouvements avec sa respiration. Deux postures sont particulièrement bénéfiques : la posture du fœtus et la posture de torsion.

La posture du fœtus

Quand la jeune femme est allongée sur le dos, soulevez une de ses jambes à la verticale **1**, repliez-la sur sa poitrine **2**, puis attendez douze respirations complètes. Dépliez doucement sa jambe bien dans son axe ; recommencez avec l'autre jambe, puis avec les deux jambes, en réservant un temps de repos entre chaque phase. Cette posture se nomme *pavanamuktasana** ; *pavana* signifie « ventre » et *muktasana* « qui libère ». Fondamentale en yoga, elle agit sur la rate, le pancréas et les autres organes de la région abdominale, ainsi que sur le bas du dos, le diaphragme et les poumons ; elle élimine également les gaz intestinaux. Une posture si simple et dotée d'une telle efficacité que la Nature semble l'avoir spécialement destinée à préparer la femme à mettre au monde un bébé !

La posture de torsion

La femme est allongée sur le dos, les bras en croix ou croisés sous sa nuque. Relevez ses jambes à la verticale. Puis repliez-les sur sa poitrine et faites glisser ses genoux vers sa droite, en veillant à ce que son épaule gauche ne se soulève pas **3**. Soutenez bien les genoux de la jeune femme afin que la position reste confortable et faites-la respirer. Remontez ses jambes à la verticale. Reprenez le mouvement de l'autre côté. Nommée *jathara parivartanasana**, cette posture est excellente pour la colonne vertébrale ; elle fait travailler le diaphragme, les côtes, le plexus solaire, ainsi que tous les organes de la région abdominale. Elle facilite la respiration thoracique.

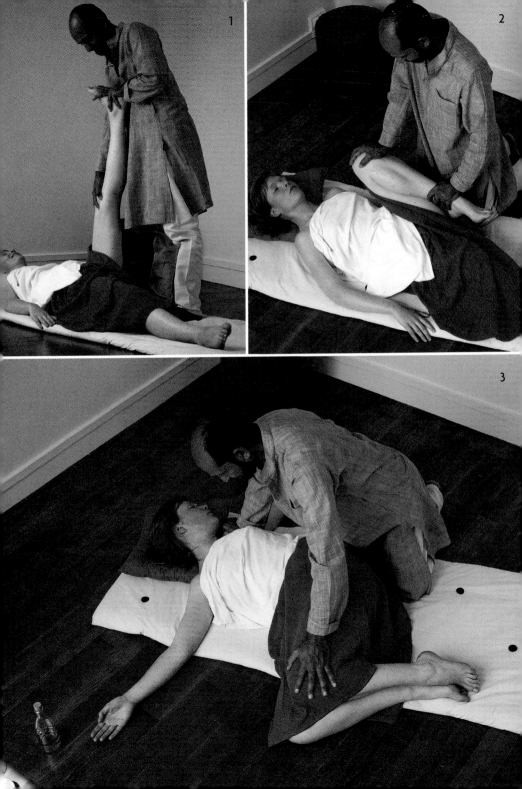

En attendant bébé

Dès le troisième mois de grossesse, la future maman peut recevoir des massages spécifiques, qui l'accompagneront dans les bouleversements physiologiques et psychiques qu'elle connaîtra, en lui assurant une atmosphère de douceur et d'écoute. Ils lui apporteront une détente du corps ainsi qu'un bien-être et une harmonie générale. Vivre ces moments dans les meilleures conditions possibles est le plus beau cadeau que vous puissiez offrir à un enfant – et à sa maman.

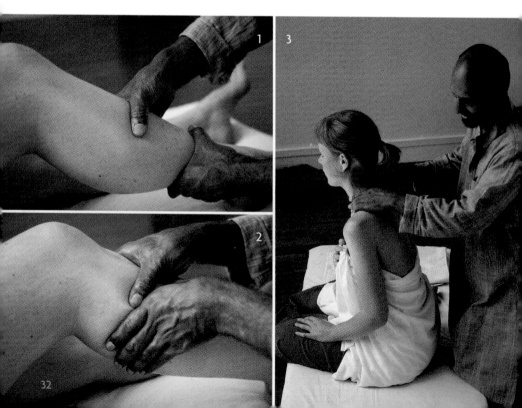

En confiance

Pendant la grossesse, on évite de stimuler l'énergie d'expulsion (*apana vayu**). Le massage prénatal nécessite donc une extrême subtilité de la part du masseur et une qualification approfondie. Par ailleurs, pour ce massage à trois (maman-bébé-masseur), une grande confiance doit s'instaurer.

À la fin du troisième mois

Le massage d'une femme enceinte s'effectue à partir du troisième mois révolu. En effet, le premier trimestre est une étape de mise en place ; il est donc préférable que le corps s'adapte sans intervention extérieure. Pendant la grossesse, les pieds, les mains et le visage seront massés avec prudence.

Les jambes et le dos

Au deuxième trimestre, le massage est plutôt orienté sur les jambes et le dos, très sollicités par le changement de statique, l'augmentation du poids et la modification de la circulation sanguine. Les mouvements sont doux et enveloppants.

Il s'agit d'apaiser, de détendre en douceur les différentes parties du corps : mollets **1-2** et cuisses, épaules et haut du dos **3-4**, région lombaire **5** et sacrum. Pour cela, la future maman est assise, ou allongée sur le côté **6-7**, p. 34, dans la position la plus confortable pour elle.

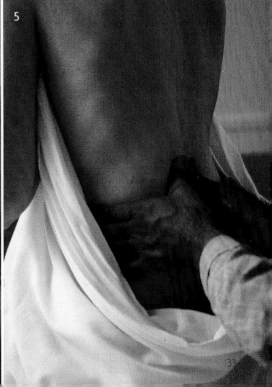

Les seins et les hanches

Au troisième trimestre, le massage des seins prépare l'allaitement et accompagne l'augmentation du volume de la poitrine. Le massage des hanches dans certaines positions assouplit le bassin. Pendant les dernières semaines, un massage des pieds avec un petit bol (voir p. 44) peut faciliter le déclenchement du travail.

Tout est prêt

L'ensemble des pratiques ayurvédiques dispensées pendant la grossesse visent en priorité à offrir à la maman et au bébé neuf mois de bonheur et de bien être. C'est donc une façon indirecte d'assurer un accouchement facile : une femme enceinte qui a été régulièrement massée a intégré l'essentiel ; elle s'est renforcée tant sur un plan physique que psychologique. Au moment de la naissance, il n'est plus nécessaire d'intervenir par le massage, le travail a été accompli en amont. En revanche, les gestes du futur papa – ou d'une personne chère, en qui vous avez confiance – sont une aide précieuse pour la présence et la sécurité qu'ils apportent.

EN FAMILLE

Durant toute la grossesse, l'intimité du noyau familial doit être préservée : c'est donc le père ou la mère qui masse le ventre, d'une façon très douce. Les aînés peuvent parler au bébé ou poser leur main sur le ventre de la maman.

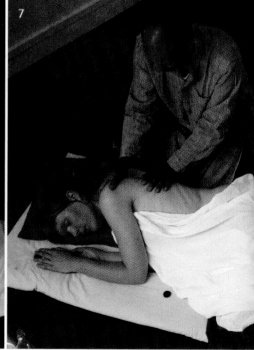

6 7

Être proche des éléments

L'une des pratiques majeures en ayurvéda est de maintenir le contact avec les cinq éléments : l'Éther, l'Air, le Feu, l'Eau et la Terre. C'est un conseil précieux pour garder une vie émotionnelle équilibrée et un mental calme et fort. C'est donc une excellente manière de se préparer pour masser son bébé.

Méditez...

L'Éther (*akasha**) se trouve dans les vibrations des chants sacrés, dans les volutes de l'encens et dans la présence d'un maître spirituel. Méditez, lisez des textes qui vous inspirent.

Respirez de l'air pur...

Les bienfaits de l'élément Air (*vayu**) sont accessibles par le souffle et par la maîtrise de la respiration profonde. Faites des promenades à l'air pur ou pratiquez des respirations de yoga : cela participe à un meilleur équilibre affectif et mental.

Au soleil...

La présence de l'élément Feu (*agni**) influence d'une manière positive l'affectif et dissout les tensions. Faites un feu de cheminée, regardez la lumière d'une bougie, promenez vous au soleil…

Baignez-vous...

L'eau vive (*jala**) possède une bonne influence sur votre état d'esprit ; elle régénère le corps et entraîne les contrariétés du quotidien. Une douche après une journée de travail, un bain de mer, un bain de pieds sont des bienfaits simples mais inestimables.

Marchez...

Le contact avec l'élément Terre (*prithvi**) diminue les tensions et canalise une énergie négative vers le sol. Marchez en pleine nature, jardinez, travaillez de vos mains…

CINQ ÉLÉMENTS, CINQ ÉNERGIES

Selon l'ayurvéda, tout est énergie. Cette énergie se manifeste sur la Terre sous forme éthérique (l'élément Éther) : c'est l'énergie de l'espace, une énergie impalpable, omniprésente. En se condensant, elle devient l'énergie dispersée du grand élément Air : il est ce qui nous entoure, ce qui est mobile, léger, transparent. Se condensant plus encore, elle devient l'énergie du Feu : c'est l'énergie de la lumière, ascendante, visible mais intangible, chaude, rayonnante. Puis apparaît l'élément Eau : l'énergie est fluide, elle se voit et se touche. Elle reste souple, fraîche, lourde. Elle est descendante. Enfin se manifeste l'élément Terre : c'est la matière, le stable et la rigidité ; c'est aussi l'inertie ou l'énergie potentielle.

Une séance de yoga avec votre bébé

Le yoga est une discipline traditionnelle complète qui, dans sa partie la mieux connue du public, comporte des postures (*asanas**) ainsi que des respirations (*pranayamas**). Il apporte le calme de l'esprit et la santé du corps. Vous pouvez faire ces quelques exercices simples avec votre bébé : cela ne vous prendra qu'une quinzaine de minutes et vous en retirerez tous les deux beaucoup de bienfaits.

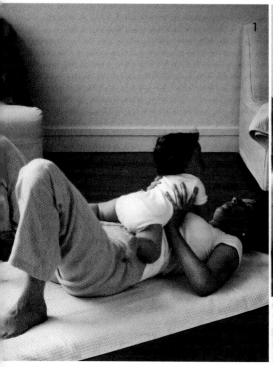

Votre bébé est contre votre ventre

Allongez-vous sur le dos, les jambes repliées, la plante des pieds au sol. Posez les mains sur votre bébé que vous avez calé contre votre ventre **1**. Fermez les yeux et prenez tranquillement conscience de votre respiration abdominale : lors de l'inspiration, votre ventre se soulève doucement ; lors de l'expiration, il s'abaisse légèrement et berce votre bébé au rythme régulier de votre souffle.

Votre bébé est sur votre poitrine

Remontez votre bébé sur votre poitrine. Levez les deux jambes à la verticale et restez ainsi quelques instants **2**. Vous les sentirez devenir plus légères. Puis repliez vos jambes sur le thorax, en les écartant pour protéger vos seins et votre bébé **3**. Attrapez vos genoux avec vos mains et bercez-vous doucement, de droite à gauche : ce mouvement masse votre dos, vos lombaires et votre sacrum, et votre bébé, de nouveau, profite du bercement. Relâchez vos jambes, la plante des pieds au sol. À nouveau, prenez conscience de vos respirations. Cet exercice procure une bonne détente du bas du dos.

3

Votre bébé est sur vos jambes

Reprenez lentement votre bébé dans vos bras, redressez-vous et prenez la position assise. Si, après l'accouchement, votre musculature est encore fragile, passez sur le côté pour vous redresser en douceur. Les jambes serrées devant vous, allongez votre enfant sur vos jambes, en face de vous, les yeux dans les yeux. Votre bassin est basculé, vous êtes assise sur la « pointe » des fesses. En inspirant, levez les bras à la verticale. Joignez les deux paumes des mains, étirez votre colonne vertébrale en gardant les épaules basses et détendues **4**, puis relâchez les bras en expirant. Répétez cette posture trois fois, en synchronisant bien le mouvement et la respiration. Cet exercice procure un bon étirement de la colonne vertébrale.

Votre bébé est en dessous de vous

Placez-vous à quatre pattes. Déposez votre bébé sur le sol, entre vos deux mains écartées de la largeur des épaules, les jambes écartées de la largeur du bassin. Inspirez peu à peu : le bas de votre dos se creuse, vous sentez le mouvement jusqu'aux vertèbres cervicales et votre tête se redresse en dernier **5**. Puis expirez longuement : prenez conscience de la base du dos, de la bascule du bassin, arrondissez les dorsales, faites le gros dos, rentrez légèrement la tête, le menton vers le sternum **6**. Faites plusieurs cycles en

synchronisant le mouvement du dos et la respiration. Ayez conscience de l'automassage de l'ensemble de votre dos tout en regardant votre bébé.

Étirez-vous

Ramenez doucement vos fesses vers vos talons et étirez doucement votre dos, les bras allongés devant vous. Votre visage effleure votre bébé. Redressez-vous très lentement en déroulant le dos **7-8-9**.

En tailleur

Asseyez-vous en tailleur ; installez votre bébé dans le creux de vos jambes. Fermez les yeux ; soyez attentive au souffle qui entre et sort par les narines. Puis, lentement, ouvrez les yeux **10**.

La relaxation profonde

Après l'accouchement, le corps et l'esprit d'une jeune maman sont souvent fatigués et nécessitent repos et détente. La science millénaire du *yoga nidra**, ou « relaxation profonde », est une pratique particulièrement bénéfique dans cette période de l'existence, car vous allez avoir besoin de toute votre force pour donner à votre enfant les soins et l'attention qu'il réclame.

Installez-vous

Allongez-vous sur le sol confortablement, votre bébé installé à vos côtés. Choisissez un moment où vous êtes tranquille, seule avec votre enfant. Écartez légèrement les bras et les jambes : vous êtes dans la posture du grand repos (*shavasana**). Si vous sentez des tensions au niveau du bas du dos, repliez vos jambes avec la plante des pieds au sol, plaquez les lombaires sur le sol et positionnez votre tête dans le prolongement de la colonne vertébrale. Tranquillement, fermez les yeux et abandonnez le poids du corps sur le sol.

Respirez

Laissez vos respirations devenir naturelles et profondes ; trouvez votre rythme. En gardant l'immobilité la plus totale, relâchez un peu plus chacun de vos muscles et chacun de vos nerfs. Soyez de plus en plus près de l'état de sommeil mais sans vous endormir.

Choisissez une résolution

Maintenant, vous pouvez prononcer intérieurement une résolution positive (*sankalpa**) qui, prise à ce niveau de conscience profond, vous aidera à transformer ou à améliorer quelque chose dans votre corps ou dans votre caractère, vous permettra d'acquérir et de développer plus de calme, de joie et d'amour. Cette résolution positive peut concerner votre bébé, l'un de vos proches, l'humanité entière ou vous-même. Répétez la résolution que vous avez choisie et que vous avez envie de porter en vous. En voici un exemple : « Je suis chaque jour de plus en plus calme et mon bébé grandit dans l'harmonie ».

Prenez conscience de votre corps

Vous allez maintenant faire ce qu'on appelle « la rotation de la conscience ». Sans bouger, vous allez essayer de prendre conscience de chaque partie de votre corps : conscience du gros orteil de votre pied droit, puis du deuxième, du troisième, du quatrième et du cinquième orteil à droite, conscience de la cheville droite, du mollet, du genou, de la cuisse et du fessier, puis de la hanche, du flanc jusqu'à l'aisselle, de l'épaule, du bras, du coude, de l'avant-bras, du poignet, de la main et de chacun des doigts. Prenez conscience de l'ensemble de votre côté droit. Faites la même chose du côté gauche. Prenez conscience de l'ensemble de votre côté gauche. Puis prenez conscience de vos deux côtés en même temps.

Le dos, la nuque et le visage

Prenez conscience de l'ensemble de votre dos : la base, le milieu, le haut, les deux omoplates et les deux fessiers. Tout votre dos est entièrement relâché sur le sol. Prenez conscience de votre nuque, du poids de votre tête, du sommet de votre tête, puis déridez le front, relâchez bien les yeux sous les paupières, le nez, les deux narines, prenez conscience de l'air qui entre et qui sort par vos narines – l'inspire, l'expire, l'inspire, l'expire… Puis ayez conscience de la zone de la bouche, du menton, de la gorge, de la poitrine, du centre de la poitrine, au niveau de votre cœur. Vous sentez la chaleur à cet endroit ; méditez sur cet espace infini de votre cœur.

Le corps tout entier

Prenez conscience de votre corps tout entier. Peu à peu, portez votre attention sur votre respiration, lente, naturelle et profonde, puis prenez conscience de tout votre corps, de son poids sur le sol, enfin prenez une inspiration profonde et expirez longuement.

La fin de la séance

Tranquillement, revenez à la conscience de surface : bougez le bout des pieds, le bout des doigts, la tête, puis bâillez, reprenez conscience de votre position et de celle de votre bébé, à vos côtés. Lentement, ouvrez les yeux et venez vous asseoir. Observez et savourez votre énergie nouvelle, puis étirez-vous calmement.

QU'EST-CE QUE LE *YOGA NIDRA** ?

Yoga est le travail sur l'harmonie, sur l'union de nos différentes énergies, pour parvenir, en profondeur, à notre propre équilibre ; c'est l'élévation de la conscience. *Nidra* est le nom de la déesse du Sommeil. *Yoga nidra* est l'art de changer d'état de conscience, de se relaxer de plus en plus profondément, de rester sur le fil qui sépare l'état de veille de l'état de sommeil ; c'est l'art de demeurer juste au bord du sommeil, c'est la maîtrise du sommeil. Le repos est régénérateur, la fatigue s'évanouit, les pensées s'apaisent, les idées noires s'envolent, seules restent la concentration et la vigilance. Le *yoga nidra* est une excellente pratique pour tous et pour tous les moments de la vie.

L'automassage et le massage des pieds

Vous masser vous-même est un bienfait dont vous pouvez profiter très simplement et à tout moment. C'est un temps de douceur qu'il est nécessaire de s'accorder de temps à autre. Si vous en avez la possibilité, faites-vous également masser les pieds : c'est une solution extraordinaire pour vous détendre et pour retrouver du dynamisme si vous manquez d'énergie.

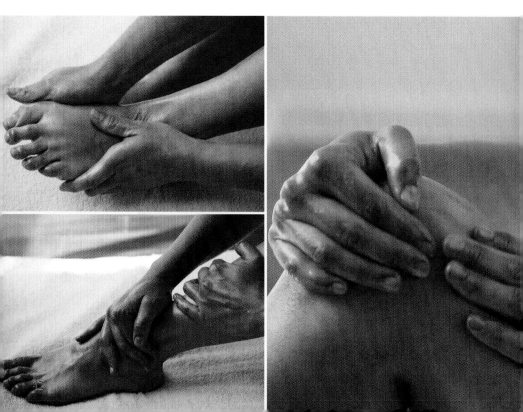

Un moment rien que pour soi

Prenez quelques minutes pour vous, avant ou après la douche ou le bain. Installez-vous sur le sol, dans une pièce bien chauffée. Posez une goutte d'huile de sésame dans votre nombril, dans vos narines et dans vos oreilles, ainsi que sur chaque orteil et chaque doigt. Massez chaque orteil, l'un après l'autre, en insistant sur les ongles et la pulpe. Faites de même sur les doigts. Ensuite, huilez vos articulations : les chevilles, les genoux, les hanches, les épaules, les coudes, les poignets et la nuque ; massez avec des mouvements circulaires doux. S'il vous reste encore vingt minutes environ, enveloppez votre corps avec de l'huile : les jambes, les fesses, le bas du dos, le dos autant que possible, les bras, le ventre et la poitrine, et terminez par le cou, le visage et la tête. Les mouvements sont assez dynamiques. Essayez de faire pénétrer l'huile tiède dans chaque pore de votre peau. Explorez chaque partie de votre corps, éventuellement les yeux fermés, et repérez les reliefs, les textures, les températures de votre peau, les endroits douloureux… Savourez ce moment pendant lequel le corps est à l'air, où la peau nue respire. Allongez-vous et reposez-vous, en restant bien au chaud.

Faites-vous masser les pieds

Si vous en avez la possibilité, faites-vous masser les pieds avec un *kansu** : c'est un petit bol constitué d'un alliage de cinq métaux que l'on utilise pour masser la plante des pieds. On emploie également du *ghee** – du beurre clarifié – pour pratiquer ce massage qui touche tous les points réflexes du corps et équilibre l'élément Feu.

Le masseur enduit le pied de *ghee*, le détend un peu en massant la plante, les articulations et les orteils **1-2**. Puis il pose le *kansu** sur la plante et dessine des cercles, des « infinis » (∞) et des lignes droites ; il en explore toute la surface en variant la pression et l'intensité, pendant 10 minutes au moins par pied, sans rompre le contact entre le bol et le pied de la personne massée **3-4**. Ce contact est unique et exceptionnellement doux, et son effet très puissant : le sommeil devient plus facile et plus profond, les yeux sont reposés, le corps est relâché.

Attention : ce massage est à éviter chez la femme enceinte et le jeune enfant.

DÈS TROIS ANS

En Inde, dès l'âge de trois ou quatre ans, l'enfant masse les pieds de ses parents ou de ses grands-parents pendant que ces derniers lui racontent des histoires, des contes et des légendes, ou qu'ils lui font découvrir les grands textes sacrés.

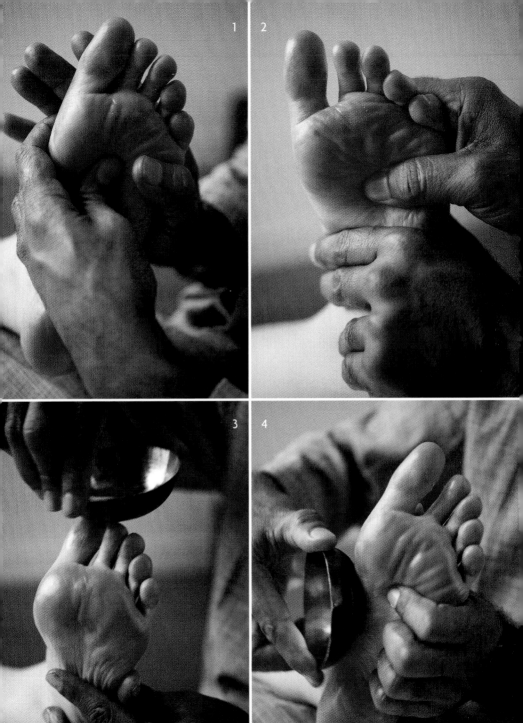

AVANT DE COMMENCER LE MASSAGE

Une histoire de famille

Au sein d'une même famille, chacun, et non seulement la mère, peut masser le bébé : le père, bien entendu, mais aussi les frères et les sœurs, et – pourquoi pas ? –, les grands-parents.

La place du papa

Le massage est avant tout un échange d'amour, une façon pour le papa de donner un peu de lui-même à son enfant par le contact de ses mains et le son de sa voix. Mais, comme pour sa présence en salle d'accouchement, il n'y a aucune obligation : chaque père conçoit son rôle à sa façon, le plus important étant qu'il soit présent, pour son enfant, d'une manière ou d'une autre. À chacun de trouver la place qui lui convient.

Faire participer les frères et sœurs

Les autres enfants sont non seulement les bienvenus, mais il est capital pour eux d'être intégrés au nouveau trio papa / maman / bébé. Qu'ils regardent, aident, participent : ce sera l'occasion de jeux avec le petit frère ou la petite sœur, et cela créera un lien dans la fratrie ; ce sera l'occasion de leur faire comprendre leur place dans la famille et de leur prouver que leur présence est précieuse, que l'on continue à leur porter attention et amour. Les plus grands intègrent très vite les gestes du massage. Et ils deviennent rapidement d'excellents pédagogues – voire les meilleurs ! – à l'égard des plus jeunes.

La famille élargie

La présence des grands-parents est importante. Elle peut être l'occasion d'échanges riches et tendres, d'ouverture et de connaissance mutuelle, ainsi que de transmission d'une génération à l'autre. Les autres membres de la famille – une tante, une cousine… – peuvent également masser le bébé s'ils partagent le même esprit de respect et s'ils ont l'estime de l'enfant et des parents.

ET LES AUTRES ?

Avant d'avoir eux-mêmes découvert le massage de leur bébé, certains parents pensent qu'il est préférable de le confier à un professionnel. Quelle que soit la valeur du praticien, personne ne peut remplacer la famille dans la relation du massage ayurvédique telle qu'elle est envisagée dans ce livre : le massage indien du bébé n'est pas une pratique thérapeutique mais une manifestation de la tendresse entre des parents et leur enfant. Le contexte est bien sûr différent dans une approche médicale ou paramédicale : au delà de la nécessité technique, les parents peuvent aussi choisir un praticien qui partage leur conception du toucher et du rapport à l'enfant.

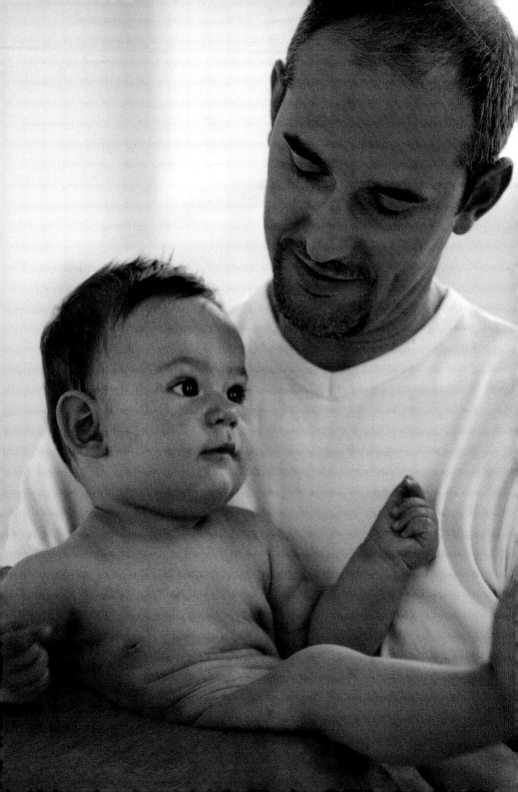

Un moment de détente

L'état d'esprit de la maman ou du papa qui va masser son bébé est essentiel. Le calme et la joie en feront un moment véritablement unique. Il est donc souhaitable, voire indispensable, de prévoir un moment de détente entre les activités de la journée – le travail, les courses... – et le moment du massage. Car la qualité du temps qui précède la séance est au moins aussi importante que celle du massage lui-même.

De la confiance...

Pour la femme indienne, le massage est intégré à la vie quotidienne depuis des générations : elle a souvent reçu des massages dès son enfance, au moment de son mariage et pendant sa grossesse ; elle a vu sa mère et sa grand-mère masser en différentes occasions. En Occident, les femmes qui veulent apprendre à masser leur bébé ont rarement été massées auparavant, et il est pour elles parfois difficile de savoir comment faire, quels sont les bons gestes, s'il faut appuyer fort ou non... Mais la connaissance et l'intuition sont en chaque maman. Confiance et patience, écoute et attention lui permettront de renouer avec des capacités qui lui sont propres, même si elles sont encore enfouies en elle. Se préparer est alors indispensable.

... du temps

L'idéal est que le parent se prépare lui-même, avant de masser son enfant, par des respirations, par une musique apaisante, par des mouvements de détente, par un moment de silence. Le parent peut se mettre en contact avec les éléments de la nature (voir p. 35), passer quelques instants au soleil, confectionner un bouquet de fleurs, prendre un bain, se réserver un instant « beauté »...
Le parent peut également recevoir lui-même un massage : un massage des pieds ou un automassage (voir p. 42 à 45). Chacun saura trouver ce qui lui convient, selon ses goûts et ses pratiques.

... et le meilleur de vous-même !

Par le massage, il existe une forme d'osmose entre le parent et son enfant ; leurs états d'âme se transmettent. Vivez au milieu de personnes déprimées et vous sentirez votre vitalité fléchir, entourez-vous de personnes rayonnantes et joyeuses et vous serez entraîné par leur bonne humeur. Réservez donc à votre bébé les moments où vous vous sentez bien, avec un moral au beau fixe, et reportez la séance si vous êtes d'humeur maussade. Il va sans dire que, pour masser un bébé, l'hygiène des parents est très importante.

Ainsi, se laver les mains après un contact avec des animaux domestiques ou avec tout objet de la vie quotidienne est une précaution indispensable.

MASSER UN BÉBÉ HANDICAPÉ

Il n'existe aucune contre-indication au massage d'un enfant, quelles que soient ses facultés physiques ou mentales. Le toucher parle à tout le monde, de la naissance jusqu'à l'âge avancé. Vous pouvez proposer un massage à votre bébé, éventuellement en accord avec votre médecin si cela s'avère nécessaire, et noter sa réaction. Finalement, c'est votre enfant qui vous dira si cela lui plaît ou non.

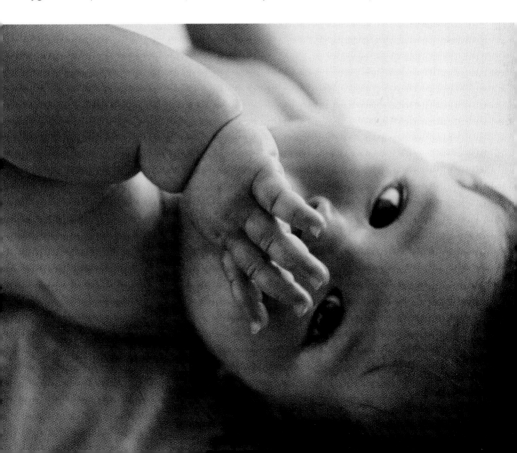

Être à l'écoute de son bébé

Le moment idéal pour un massage est avant tout un moment où le bébé et sa maman — ou son papa — sont disponibles sur le plan physique comme sur le plan psychique : si l'enfant a faim, s'il est trop fatigué, si les parents sont préoccupés ou pressés, le bienfait ne sera pas maximal. Il vaut mieux attendre un instant plus propice. Car l'harmonie et la confiance sont essentiels à la réussite du massage.

Choisissez le bon moment

Selon les familles, le massage s'effectue lors d'un soin ou d'une toilette, le soir ou le matin, avant ou après le bain. C'est à vous de trouver le moment idéal, selon votre réceptivité et votre rythme de vie. Il vaut mieux que vous proposiez le massage à distance d'un repas — attendez une demi-heure au moins — et assurez-vous que votre bébé a bien éliminé ses selles : il sera plus léger et plus détendu, donc plus disponible.

Demandez-lui sa confiance

Lorsqu'un massage ayurvédique est pratiqué, il est d'usage que le masseur demande au massé s'il lui accorde sa confiance. Cette règle s'applique également aux parents et à leur bébé ; si la confiance semble implicite dans cette relation particulière, il est important de s'assurer que l'enfant est disponible. Expliquez à votre bébé que vous lui proposez un massage, montrez-lui ce que vous préparez, dites-lui que vous l'aimez et demandez-lui s'il est d'accord. Ces paroles rassurent le bébé, de même que l'attitude que vous adoptez au moment du massage : de la joie, du bien-être... Curieusement, la réponse se manifeste, même chez un très jeune enfant qui ne s'exprime pas encore : c'est un sourire, un pied qui se tend, un laisser-aller, un signe d'acceptation. Car un massage ne s'impose pas. C'est uniquement une invitation faite à votre enfant.

Soyez persévérant

Avec un tout petit enfant, c'est bien sûr la maman ou le papa qui prend l'initiative du massage. Mais le massage doit rester un bienfait. Si votre enfant n'en a pas envie, proposez-lui à un autre moment. Le plus important est de rester confiant, de persévérer et de conserver une ambiance harmonieuse.

La durée et la fréquence des massages

Si votre enfant est très jeune ou s'il n'est pas encore habitué au massage, les premières séances seront courtes, entre cinq et dix minutes. Peu à peu, il appréciera des séances plus longues, allant de vingt à trente minutes. Mais cela n'est qu'une théorie. En réalité, une seule règle prime : c'est votre bébé qui décide.

Respect...

Votre enfant peut être rapidement satisfait par un massage et, au bout de quelques minutes, exprimer par des pleurs ou une agitation que cela lui suffit. S'il en a assez, s'il manifeste son désaccord, c'est lui qui est prioritaire et non pas le massage, même si vous avez l'impression de ne pas avoir fini. Un gros câlin... et reportez le massage à une prochaine fois.

L'écouter, le comprendre et accepter la demande de votre bébé est la meilleure garantie pour qu'il conserve un bon souvenir du massage et qu'il trouve l'assurance qu'il peut faire confiance à l'adulte.

C'est l'état d'écoute qui donnera du sens au geste. Sinon, c'est une « violence ». En cas de difficultés, vérifiez si un paramètre ne vous a pas échappé : une huile trop froide, une lumière éblouissante... Essayez de comprendre l'état d'esprit de votre bébé : la fatigue, l'inquiétude, la faim...

... et écoute

Le massage peut être quotidien mais, là encore, il n'y a pas de règle. Seules sont primordiales la disponibilité, l'envie de chacun et l'écoute des parents. Avec l'acquisition de la parole, votre enfant saura réclamer un massage au bon moment.

Par ailleurs, aimer ou pratiquer le massage n'est en aucun cas une règle ou une obligation pour les enfants et les parents.

En quelques minutes

Si vous ne disposez que de quelques minutes, contentez-vous de masser les pieds, les mains et les oreilles de votre bébé, ou enduisez totalement son corps d'huile, mais sans insister.

EN CAS DE PROBLÈME DE PEAU

En règle générale, ne massez pas votre bébé s'il présente un problème de peau, surtout en cas de suintement. Certaines huiles, telle l'huile de carthame, peuvent convenir en cas de dermatose « sèche ». Quoi qu'il en soit, testez-les toujours sur une petite surface de peau. Vous pouvez alors trouver des substituts au massage à l'huile : des bercements, des jeux, des mouvements du corps, un massage à travers les vêtements ou toute autre idée maintenant le contact entre vous et votre bébé. Une remarque : l'ayurvéda attribue souvent les problèmes de peau à une alimentation inadéquate. Peut-être pouvez-vous revoir votre régime alimentaire, ainsi que celui de votre bébé ?

SI VOTRE BÉBÉ A DE LA FIÈVRE

Un bébé est rarement disponible quand il est malade. Évitez de masser votre bébé en cas de fièvre ou de trouble passager ; laissez son corps récupérer de lui-même.

Le lieu, la lumière, l'atmosphère...

La préparation du lieu et de l'environnement, le soin apporté à l'atmosphère, à la lumière, à la couleur, à la chaleur et à la musique : tout cela contribue à la réussite du massage de votre bébé, et à l'éveil de ses cinq sens.

Une atmosphère sereine

Ménagez-vous un petit coin confortable, accueillant et bien chauffé. Allumez une bougie et un encens doux, placez quelques fleurs... Tout cela contribue à créer une ambiance sereine, car l'enfant, très jeune, est réceptif à la beauté et au calme d'un lieu. Tous les sens du bébé et de sa mère sont nourris par la présence des cinq éléments décrits par l'ayurvéda : (voir p. 22). La Terre et l'Eau peuvent être évoqués par un vase de fleurs, de petits cailloux ou des galets, le Feu par la lueur d'une bougie ou la lumière du soleil. L'Air baigne toute la pièce. L'Éther est apporté par l'encens ou les senteurs des fleurs.

Une pièce aérée, parfumée

Installez-vous dans une pièce agréable, où vous vous sentez bien. Prenez soin de l'aérer. Vous pouvez la parfumer avec de l'encens ou des huiles essentielles : choisissez des produits de très bonne qualité, naturels et doux, sans additifs ; les encens parfumés à la rose ou au santal conviennent très bien ; les huiles essentielles de mandarine ou de lavande, en diffusion atmosphérique, sont adaptées à l'enfant. Utilisez de préférence un diffuseur spécial plutôt que le brûle-parfum dont la chaleur dénature les huiles. Parfumez la pièce dix minutes avant le massage. Ou préférez le parfum d'un bouquet de fleurs.

La lumière et la chaleur

Éclairez la pièce avec une lumière douce. Trop d'obscurité surprend et inquiète parfois les bébés. Faites attention aux lampes qui éclairent par le plafond car, quand il sera allongé, votre bébé ne verra pas les choses sous le même angle que vous. Il doit voir sans être aveuglé. La lueur des bougies est agréable et réconfortante. Mais restez attentif à la sécurité. La salle de bains est souvent l'endroit choisi pour masser un bébé car c'est en général la pièce la mieux chauffée et celle où on lui donne les soins. L'alternative : utiliser un petit chauffage d'appoint ; il permet de s'installer dans une pièce plus chaleureuse, et d'adapter la température aux besoins du bébé. Pour trouver la température idéale, observez votre enfant : ses mains et ses pieds doivent être chauds sans que son corps ou sa tête soient rouges ou couverts de sueur.

Un matelas, des couvertures…

Si vous choisissez de placer votre bébé sur vos jambes (voir p. 73), protégez-vous simplement avec un drap ou une serviette. Si vous le massez au sol, délimitez un périmètre assez large (un mètre sur deux au moins) avec des couvertures moelleuses ou un matelas. Si votre enfant est très jeune, il préférera un espace plus délimité, où il se sentira moins perdu ; utilisez alors des coussins pour créer un petit cocon. Protégez le tout avec des linges doux, faciles à laver. Gardez à portée de main des linges, des couches, des vêtements de rechange, de l'huile, de petits jouets et un peu d'eau à boire afin de ne pas avoir à interrompre le massage. L'huile sera tiède ou chaude, selon la saison et la constitution de votre enfant. Au besoin, réchauffez-la devant le radiateur, dans un chauffe-biberon ou dans une casserole, au bain-marie, ou tout simplement dans vos mains, au fur et à mesure. Pour votre confort ou si votre corps reste fragile après la naissance, utilisez des coussins pour caler votre dos et vos jambes.

… de la couleur

De préférence, habillez-vous de couleurs claires et gaies, et décorez la pièce de tons doux – ce qui ne veut pas dire « fades » ! L'ayurvéda accorde une grande importance aux couleurs et à leur influence sur l'homme. C'est ce que nous connaissons intuitivement, depuis toujours, à travers les codes de couleur transmis par les traditions – la couleur de mariage, la couleur de deuil…

… et de la musique

Une musique douce et agréable aide à créer une ambiance sereine. Préférez des compositions non synthétisées : par exemple, des bruits de la nature, des chants d'oiseaux, des chants sacrés, de la musique classique… Choisissez une musique originale, non standardisée : votre bébé a de l'oreille, il s'en souviendra. Mais rien ne remplace la voix et les berceuses transmises de génération en génération, dont on s'imprègne et dont on se rappelle à l'âge adulte. En Inde, la maman prononce des *mantras** (phrases ou syllabes en sanskrit), qui produisent des vibrations sonores, ou raconte des récits de la vie quotidienne. Les histoires, les chants et les contes développent le courage, l'endurance, la bonté et le goût des arts.

Mettez-vous à l'aise

Oubliez le téléphone et branchez votre répondeur. Retirez vos bijoux, notamment vos bagues, car ils risquent de griffer votre bébé et de vous gêner dans vos mouvements. Habillez-vous avec des vêtements propres, légers et souples afin d'être libre de vos mouvements et afin que la chaleur vous soit supportable. Choisissez des vêtements peu fragiles, faciles à laver, pour ne pas vous préoccuper des taches d'huile.

Les huiles de massage

La culture occidentale tend à rejeter ce qui est gras et luisant. C'est la raison pour laquelle certains parents massent leur bébé avec une crème hydratante plutôt qu'avec une huile : or, cela ne présente pas le même intérêt et ne produit pas le même effet. En ayurvéda, les huiles possèdent de nombreux bienfaits : sachez les découvrir.

Choisissez de bons produits

L'huile a un pouvoir de pénétration dans l'organisme important. Il est donc primordial d'utiliser une huile d'excellente qualité. Il existe des huiles toutes prêtes, parfumées, ou au contraire désodorisées, dégraissées : réservez-les à votre usage personnel si vous le souhaitez mais, pour votre bébé, préférez ce qu'il y a de plus simple et de plus naturel.

Soyez intransigeant sur la qualité. Vous pouvez vous fournir dans les magasins de produits biologiques – ou dans tout autre magasin dont la qualité des produits est fiable – au rayon des « huiles alimentaires ». Vous y trouverez une gamme d'huiles végétales, de label bio, de première pression à froid, sans additifs ni pesticides. Le test le plus efficace pour savoir si le produit utilisé est bon pour votre bébé : goûtez-le ! Un bon produit est tout simplement un produit qui peut être ingéré – ce que votre bébé ne manquera pas de faire ! La peau est d'ailleurs un organe dont l'une des fonctions est l'assimilation.

Utilisez un flacon en plastique avec un bec verseur : il est sans danger pour votre enfant qui, inévitablement, cherchera à le mettre à sa bouche, et cela limitera l'écoulement de l'huile lorsqu'il s'amusera à le renverser.

Les huiles les plus utilisées

Parmi les huiles que vous pouvez utiliser pour votre bébé, l'huile de sésame est la plus adaptée. C'est l'huile de base des massages ayurvédiques : chaude et fluide, elle laisse la peau satinée et possède des propriétés bactéricides. Elle ralentit le vieillissement de la peau, augmente son élasticité et possède un grand pouvoir antioxydant.

L'huile d'amande douce est la plus connue ; douce et assez grasse, elle reste à la surface de l'épiderme. Elle est adaptée aux bébés qui ont la peau sèche. Elle assouplit la peau, calme les démangeaisons et active le renouvellement des cellules.

L'huile de carthame est riche en acides gras et en vitamine E, un antioxydant ; elle s'utilise en cas de petits problèmes de peau, d'eczéma sec peu étendu.

L'huile d'olive est assez épaisse, grasse et chaude ; elle protège et fortifie la peau.

L'huile de noisette est nourrissante et calmante ; elle est riche en vitamine E. Elle pénètre mieux dans l'épiderme que l'huile d'olive.

L'huile de tournesol est très fluide et peut servir en mélange avec des huiles plus grasses ; elle est également riche en vitamine E.

L'huile de noix de coco est employée dans les pays chauds car elle possède des propriétés rafraîchissantes ; elle est utilisée pour le massage de la tête ou en été ; dans nos régions, elle fige souvent.

L'huile de moutarde, utilisée de façon spécifique dans les massages ayurvédiques, est trop forte et trop piquante pour un bébé. Elle est toujours diluée et employée en petites quantités. Ces deux dernières huiles sont vendues dans les épiceries indiennes ; elles sont strictement réservées à un usage externe.

Les huiles ayurvédiques

En Inde, il existe de nombreuses préparations à base d'huiles, de plantes et d'épices qui sont utilisées pour masser les bébés. Selon les textes anciens, les huiles ayurvédiques possèdent de nombreux bienfaits, parmi lesquels le renforcement de la peau, de sa couleur et de sa texture, la régularisation du sommeil, la lutte contre le vieillissement et les douleurs, et la résistance aux maladies.

Parmi les produits disponibles figurent l'huile « bébé », l'huile *prasarini**, l'huile *bala** et l'huile *chandan bala laxadi**. À base d'huile de sésame, d'huile de noisette et d'épices, l'huile « bébé » participe à une croissance harmonieuse du nourrisson, assouplit sa peau, équilibre son appétit et son sommeil ; elle facilite la digestion et apaise les coliques.

Contenant une quinzaine de plantes ayurvédiques, l'huile *prasarini* favorise la croissance du bébé et de l'enfant ; elle équilibre les *doshas**, en particulier *vata** et *kapha** (voir p. 22).

Très riche en plantes et en épices, l'huile *bala* renforce le système immunitaire et le système nerveux.

Quant à l'huile *chandan bala laxadi*, elle équilibre les *doshas*, notamment *vata*, soigne le rachitisme, combat la fièvre et la toux. Elle contient près de trente plantes différentes.

La base de ces compositions est l'huile de sésame. Parmi les plantes utilisées, la plupart proviennent d'Inde et n'ont pas d'équivalent en Occident ; d'autres sont plus familières, tels le santal, la réglisse, le curcuma ou le poivre.

COMPOSEZ VOS PROPRES HUILES

Pendant la saison chaude, vous pouvez réaliser ce mélange :
• une part d'huile de sésame ou d'huile d'amande douce
• trois parts d'huile de noix de coco

Pendant la saison froide, le mélange suivant est adapté à votre bébé :
• 20 cl d'huile *bala*
• 10 cl d'huile *prasarini*
• 60 cl d'huile de sésame
• 5 cl d'huile de moutarde
• 5 cl d'huile d'amande douce

En toute saison, les huiles suivantes apportent un bien-être général :
• 10 g de fleurs de calendula (en vente en herboristerie), macérés dans 100 ml d'huile de sésame
• 10 g de fenugrec (en vente dans les épiceries orientales ou les magasins de produits biologiques), macérés dans 100 ml d'huile de sésame

Les fleurs de calendula et le fenugrec favorisent la croissance et sont bénéfiques pour la peau. Des huiles obtenues à partir de macération d'ortie sont également très intéressantes.

Les poudres et les pâtes de massage

Farine de pois chiches, farine de blé, thym indien, curcuma ou santal : autant de matières et de senteurs utiles et très agréables.

Des farines

La farine de pois chiches, que vous trouverez dans les magasins de produits biologiques, sert quelquefois, après le massage, pour retirer l'excédent d'huile ; elle s'utilise en frictions très douces pour respecter l'épiderme délicat de votre bébé. Mêlée à du yaourt ou du lait et à du curcuma, elle nettoie la peau et la rend douce et claire ; ce mélange maintient la fraîcheur du corps. En passant une petite boulette de farine de blé sur tout le corps de leur enfant, les mamans indiennes éliminent les poils que certains bébés présentent sur le dos et sur le front.

Des plantes et des poudres

En hiver, en cas de rhumes ou d'affections du nez, de la gorge ou de la poitrine, vous pouvez utiliser de l'huile chaude dans laquelle vous avez fait infuser du « thym indien » (*ajowan**) ; cette plante de la famille des ombellifères possède des propriétés réchauffantes et antiseptiques. La poudre de curcuma a des vertus aseptisantes ; elle protège des effets de la pollution, prévient les petits problèmes de peau de votre bébé et en améliore la couleur et l'éclat ; vous la trouverez dans les épiceries orientales.

La poudre de santal est apaisante et rafraîchissante ; elle calme et rehausse l'éclat et la beauté ; elle n'est malheureusement pas très accessible en Occident.

Quant à l'argile, elle est parfois utilisée chez l'enfant, ainsi que le talc, dans les pays chauds.

PRÉPAREZ VOTRE PROPRE PÂTE

Préparez une pâte à partir des ingrédients suivants :

• une cuiller à soupe de farine de pois chiches
• une demi-cuiller à café de curcuma en poudre
• une ou deux cuillers à soupe, selon l'épaisseur, de yaourt ou de crème fraîche
• une cuiller à café de miel

Ajoutez de l'eau de rose en quantité suffisante afin d'obtenir une pâte crémeuse et facile à étaler.

LE MASSAGE
PAS À PAS

Le prémassage

Les exercices présentés ici font partie de ce que l'on appelle « le prémassage » : vous pouvez les faire au cours du premier mois de vie de votre bébé ou s'il est né prématuré. Ils sont fondamentaux pour l'enfant car ils développent l'affectivité et la circulation des énergies. Effectués avec le papa, ils poursuivent la relation amorcée avant la conception : le papa peut apporter son soutien à la maman, la soulager de sa fatigue et l'encourager. Issues d'une tradition ancestrale, certaines de ces postures rappellent des techniques modernes car elles ont été intégrées dans leur pratique : par exemple, en ostéopathie.

« Je m'éloigne, je te retrouve »

Vous vous tenez assis ou debout. Prenez votre bébé sous les bras et portez-le, à bout de bras, devant vous **1**. Puis ramenez-le contre votre cœur **2**. Répétez le mouvement plusieurs fois. Cet exercice apprend à votre bébé le mouvement « Je m'éloigne, je te retrouve ». Votre enfant explore le plan horizontal et prend contact avec votre cœur émotionnel.

Des montagnes et des vallées

Allongez votre bébé sur vos mains : une main sous ses fesses et une main sous sa nuque. Bercez-le en faisant des vagues très douces, en haut, en bas… en dessinant des montagnes et des vallées avec son corps **3-4-5-6**. Sa tête est tantôt en haut, tantôt en bas.
Par cet exercice, votre bébé prend conscience de l'espace. Le balancement harmonise la pression des liquides dans l'organisme – le liquide céphalo-rachidien, la lymphe, le sang… – en particulier dans le crâne et la colonne vertébrale. Il assure un massage interne doux et subtil.

Asseyez-le sur votre main

Placez une main sous les fesses de votre bébé. En soutenant sa tête, asseyez-le sur votre main **7**. Sa colonne vertébrale est assez solide pour soutenir son dos. Montez et descendez votre main **8**. Par cet exercice, votre bébé explore la verticalité et expérimente une certaine autonomie ; on pense souvent, à tort, qu'un bébé ne peut être qu'allongé quand il est tout petit. C'est aussi une approche de la stabilité : votre bébé est posé sur son fondement. Cette position est rassurante, et c'est aussi une façon d'ancrer l'enfant dans la vie terrestre.

Allongez-le sur votre avant-bras

Placez-vous debout ou à genoux, le dos étiré. Allongez votre bébé à plat ventre, sur votre avant-bras. Effectuez une torsion de votre buste, à gauche **9** puis à droite **10**, très souplement pour votre dos, sans donner d'à-coups.

Comme dans le ventre de maman

Allongez-vous sur le dos. Placez votre bébé à plat ventre, sur votre ventre ou votre poitrine. Caressez et massez son dos **11**. Cet exercice rappelle à votre bébé les bruits qu'il entendait dans le ventre de sa maman, le bercement de la respiration, la chaleur du corps maternel…

7

8

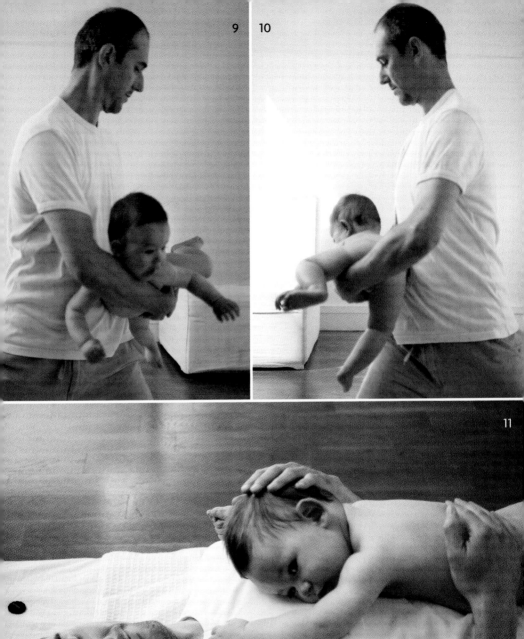

S'installer ensemble

Le massage que vous prodiguez reflète votre propre état. Commencez par bien vous installer pour être libre de vos mouvements, stable et souple. Votre corps fera alors partie intégrante du massage, vos mains en seront un prolongement et les mouvements naîtront de l'intérieur. Le confort de votre bébé sera le premier pas vers sa détente.

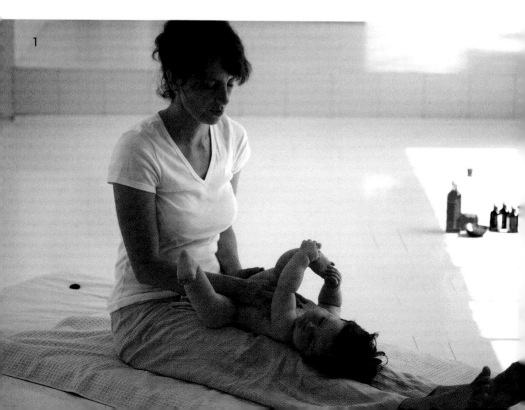

Déshabillez votre bébé

Le premier contact que votre bébé perçoit est le déshabillage : selon ce que vous mettez dans vos gestes – de la douceur et de la disponibilité, ou de la fatigue et de la brusquerie – votre enfant a un avant-goût du massage. Déshabillez-le donc sans précipitation, en lui parlant doucement. En général, si la température est agréable, les tout-petits aiment beaucoup être nus.

Asseyez-vous au sol

Traditionnellement, le parent est assis par terre pour pratiquer le massage. Cette position permet à celui qui masse comme à son bébé de rester en contact avec l'élément Terre (voir p. 22) ; elle ancre dans une stabilité bénéfique pour le massage, car elle apporte un sentiment de calme. Au besoin vous pouvez vous adosser contre un mur, en prenant soin d'y installer des coussins.

Jambes allongées ou en tailleur

Vous pouvez coucher votre bébé au creux de vos jambes allongées **1** ou devant vous, sur un matelas, si vous vous installez en tailleur **2**. La position assise au sol, même si elle est peu habituelle, constitue un bon exercice d'assouplissement ; peu à peu, vous allez apprendre à apprivoiser votre corps.

2

3 **4**

5 Trouvez d'autres positions

Selon l'âge et les souhaits de votre bébé, selon ses mouvements et ses réactions, vous trouverez d'autres positions. Si votre bébé n'aime pas être allongé sur le dos, asseyez-le sur vos genoux, le dos contre votre ventre ; il peut ainsi jouer et regarder ce qui l'entoure **3**. Dans cette position, vous pouvez masser ses pieds, ses jambes, son ventre, sa poitrine, ses épaules, sa tête et son visage. S'il est très jeune, glissez votre avant-bras sous ses aisselles et penchez-le un peu vers l'avant **4** ; avec votre main libre, vous avez accès à son dos, à ses fesses, à son cou et à l'arrière du crâne. S'il a envie de se mettre debout ou si c'est le moment de faire un gros câlin contre vous **5**, vous pouvez lui masser le dos, l'arrière des jambes, la tête…

La qualité du geste

Le plus souvent, le massage ou le toucher de son enfant est naturel pour une maman. Laissez-vous guider par votre intuition, soyez attentive aux réactions de votre bébé. Si votre attitude intérieure est juste, votre geste le sera lui aussi.

Huilez vos mains

Réchauffez vos mains, que vous avez lavées, en les frottant l'une contre l'autre. Huilez-les pour les rendre douces. Posez doucement vos mains sur le corps de votre bébé. Le contact est pris.

Respirez calmement

Essayez de respirer amplement, d'une façon fluide. Laissez votre souffle vous bercer et accompagner le mouvement. C'est l'ensemble du corps qui participe et qui transmet aux mains. Fermez les yeux pendant quelques instants et laissez vos mains découvrir le corps de votre bébé : les sensations seront différentes, plus concentrées et plus subtiles.

La sensibilité des doigts

Les doigts possèdent une sensibilité particulière, plus aiguisée que d'autres parties du corps ; ils sont parfois comme de véritables yeux. Selon l'ayurvéda, chaque doigt est le siège de l'un des cinq éléments (voir p. 22), et chacun a son importance dans le massage. On pourrait presque dire que chaque doigt est « conscient ». De la même manière, on peut masser avec la paume de la main, parfois avec le dessus, avec la main droite ou la main gauche.

Créez un cocon

Dès que le massage commence, essayez de garder un contact permanent avec le corps de votre bébé. C'est ce qui donnera au massage son caractère enveloppant, c'est ce qui créera un cocon autour de votre bébé, lui donnant un sentiment de sécurité et d'unité.

APPUYER OU EFFLEURER ?

Les deux sont possibles, ainsi qu'une infinité de variantes. On parle de « caresse appliquée » : ce n'est ni un effleurage ni une pression, mais un mélange de douceur, de présence, de fermeté moelleuse et de sûreté prudente. Le massage est doux et puissant à la fois, profond dans la conscience et enveloppant. Qu'il soit léger ou appuyé, chaque toucher a son propre effet et sa valeur particulière. N'hésitez pas à alterner et à faire varier pression et vitesse du mouvement. Votre guide est la réaction de votre bébé et de sa peau : regardez, écoutez et adaptez votre attitude.

Les mouvements d'ensemble

Avant de masser chaque partie du corps, pratiquez quelques mouvements généraux : par exemple, le massage dit « de la grande croix ». L'intérêt de ce mouvement est d'englober tout le corps du bébé afin de créer un sentiment d'unité. Et quand on masse en détail une partie du corps puis une autre, il est important de revenir régulièrement à un mouvement global : pour intégrer le mouvement particulier dans un ensemble, pour reconsidérer l'enfant comme un tout et non comme la somme de parties anatomiques morcelées.

Restez toujours en contact

Le mouvement global est un intermède quand l'enfant bouge ou se retourne. Il permet de garder un contact constant avec la peau et d'enchaîner, d'une manière intuitive, sur un autre mouvement ; le massage apparaît alors comme une création, comme une sculpture, comme une danse des mains en harmonie avec un corps vivant. Ce n'est plus un enchaînement automatique, fixé une fois pour toutes. Par ailleurs, les mouvements pratiqués sur tout le corps évitent à votre bébé de se refroidir en cours de massage.

Le massage dit « de la grande croix » s'effectue sur l'avant ou sur l'arrière du corps. S'il est réalisé sur l'arrière, votre bébé est à plat ventre, les bras au-dessus de la tête.

Des fesses jusqu'à la nuque

Dessinez quelques cercles sur le coccyx de votre bébé. Allongez votre main, le majeur posé à plat sur sa colonne vertébrale **1**, puis remontez jusqu'à sa nuque en étalant bien la main **2**. Remontez le long de son bras **3**, depuis la partie externe jusqu'au bout des doigts **4**. Redescendez sur son bras, depuis la partie interne, puis le long de son flanc **5**.

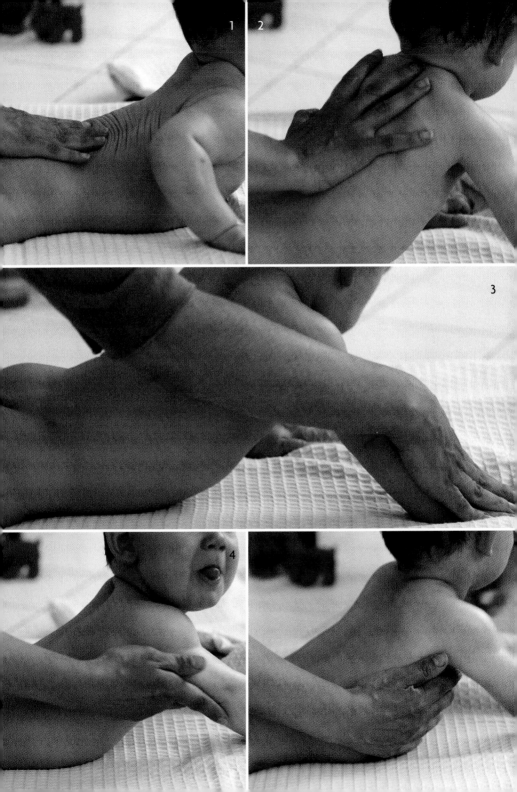

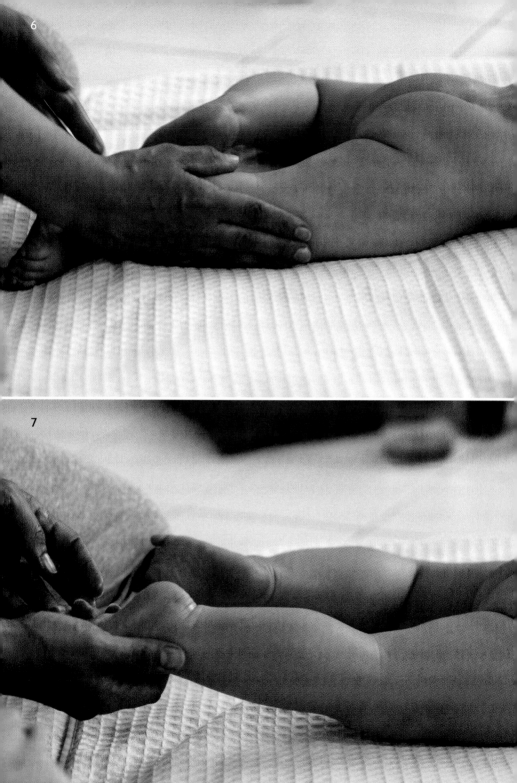

De la jambe jusqu'aux fesses

Poursuivez le mouvement le long de sa jambe **6**, du côté externe, sur la « couture du pantalon », et glissez jusqu'à l'extrémité de son pied **7**. Remontez sur sa jambe, du côté interne, et rejoignez le coccyx **8**. Tracez quelques « infinis » (∞) sur les fesses, reprenez le mouvement de l'autre côté.

Reprenez le mouvement complet

Reprenez le mouvement complet et variez en vitesse et en intensité. Il est essentiel d'accompagner le mouvement jusqu'au bout des pieds et des mains de votre bébé afin de garder l'unité du corps et d'éviter les sensations de « coupure ».

Sur l'avant

Le massage dit « de la grande croix » se pratique, de la même façon, sur l'avant du corps. Allongez votre bébé sur le dos, et placez ses bras au-dessus de sa tête. Pratiquez quelques cercles doux sur son ventre, dans le sens des aiguilles d'une montre. Placez votre main à plat et remontez sur son sternum ; longez sa clavicule gauche, vers son épaule, remontez le long de son bras jusqu'à son pouce, redescendez du côté de l'auriculaire et poursuivez sur son flanc gauche, puis le long de sa jambe, du côté externe. Remontez, côté interne, et rejoignez son ventre en longeant sa hanche. Reprenez le mouvement sur la droite.

Le massage sur le devant du corps sera bien sûr très respectueux et adapté aux zones plus fragiles.

Les pieds

Pour la clarté de ce livre, les étapes du massage sont décrites pour chaque partie du corps, même si ce découpage est académique, il sert avant tout de repère pour votre apprentissage. L'intuition et l'amour restent vos meilleurs guides. C'est votre bébé qui est au centre du massage et non pas le massage et ses techniques, encore moins l'adulte et ses connaissances. C'est votre bébé qui doit s'épanouir. En général, on dit que l'on peut commencer un massage par les extrémités – les mains ou les pieds – ou par le cœur.

Des mouvements enveloppants

Allongez votre bébé sur le dos, calez-le bien sur vos jambes ou installez-le sur le sol, devant vous. Prenez contact avec le regard ; vous pouvez chantonner si vous le souhaitez.

Prenez contact avec l'un des pieds de votre bébé. Commencez par une série de mouvements enveloppants sur tout le pied. Huilez-le d'une façon à la fois ferme et douce, tout en veillant à ne pas le chatouiller. Ouvrez le pied, allongez-le, « épanouissez-le » **1-2**.

Détaillez chaque orteil

Massez un à un chaque orteil, les articulations et la pulpe, ainsi que l'espace compris entre chaque doigt de pied **3-4**, jusqu'à ce que votre bébé ait les « doigts de pied en éventail » !

Avec vos deux pouces, lissez le dessus de son pied avec de petits mouvements allant de la pliure de la cheville jusqu'aux orteils **5**. Puis effectuez des petits cercles autour des malléoles en cherchant à faire bien pénétrer l'huile au niveau de l'articulation **6**.

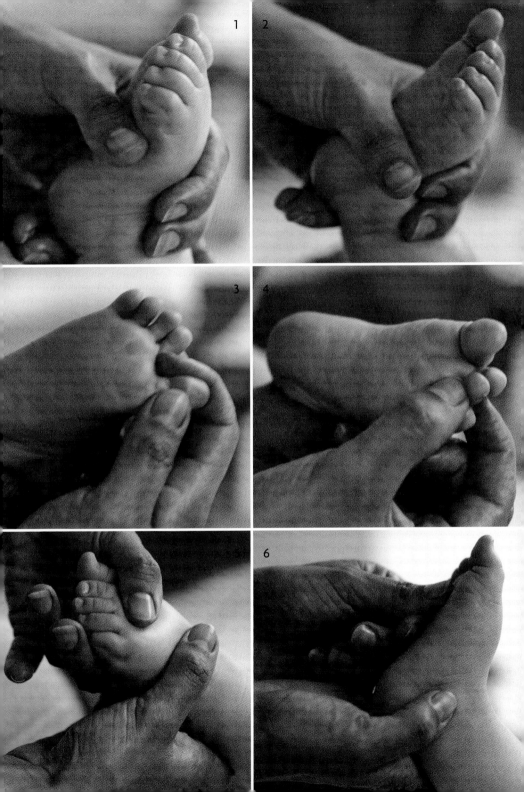

Du gros orteil jusqu'au talon

Avec l'un des pouces, suivez, en descendant, le trajet vertical qui longe le bord interne du pied de votre bébé : partez du bord du gros orteil **7** et glissez jusqu'au bout du talon **8** ; laissez-vous guider par la structure osseuse qui dessine la voûte plantaire.

Répétez ce mouvement trois fois en allant toujours de haut en bas. Vous pouvez également pendant quelques instants masser les deux pieds ensemble.

Pour terminer, joignez le pouce et l'annulaire de chaque main et posez-les à la racine de l'ongle du gros orteil **9**.

FILLE OU GARÇON

Selon l'ayurvéda, si on masse une fille, on commence par le pied gauche, et si c'est un garçon, par le pied droit. Même chose pour les mains.

LE NOMBRE DE SÉANCES

Pour apprendre à masser son bébé, le nombre de séances varie d'une personne à l'autre, selon qu'il s'agit ou non d'un premier bébé, selon l'état de confiance du parent, selon le caractère de l'enfant et sa réceptivité au massage.

Pour ses seuls aspects pratiques, le massage est assez facile à intégrer : tandis que certains se sentiront à l'aise après deux séances, d'autres auront besoin d'être accompagnés plus longtemps, pendant quatre ou cinq séances par exemple, pour se sentir en confiance et accéder à une compréhension profonde de ce moment d'échange.

À chacun d'évaluer ses besoins.

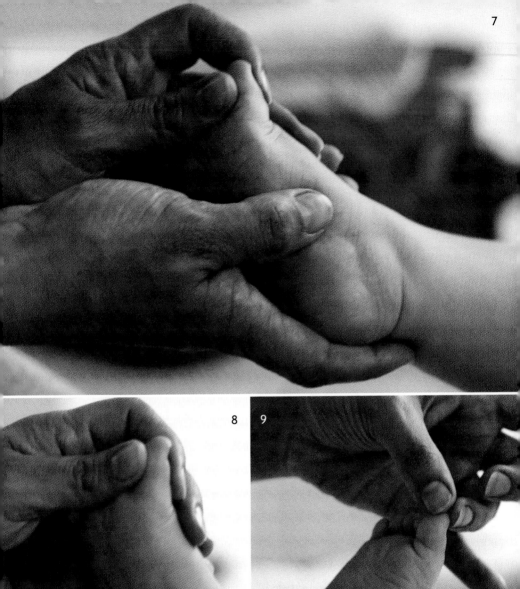

7

8 9

Les jambes

Le massage des jambes procure une grande détente au bébé. Souvent, il les replie sur le ventre ou au contraire pédale activement. Après le massage, vous constaterez que votre bébé relâche peu à peu et allonge complètement ses jambes : il expérimente un espace nouveau, élargi, acceptant pendant quelques instants de se dégager de sa posture fœtale pour s'ouvrir au monde.

Faites des mouvements de lissage...

Reprenez une nouvelle fois de l'huile dans vos mains. Commencez le massage d'une jambe de votre bébé en décrivant de grands mouvements de lissage afin de bien étaler l'huile. Dans ce mouvement tout en ouverture, le sens est très important : montez avec votre main par l'intérieur de la jambe **1-2**. La main est à plat, bien présente, et glisse jusqu'au niveau de la hanche **3**. Redescendez par le côté extérieur de la jambe **4**. Enchaînez ce mouvement plusieurs fois selon un rythme fluide et régulier.

... puis des mouvements circulaires

Avec vos deux mains, décrivez des mouvements circulaires, ressemblant à des « bracelets », autour de la cuisse et de toute la jambe **5-6**. Vos mains sont bien à plat, pour un mouvement en douceur. Prenez soin de bien prolonger le mouvement jusqu'à l'extrémité du pied afin que votre bébé ressente un sentiment d'unité. Reprenez le même massage sur l'autre jambe, puis simultanément sur les deux jambes.

Il est très important que la peau de votre bébé soit bien huilée : cela évitera les sensations de frottement et les rougeurs de la peau. Au contact de l'huile, les mains glissent aisément et procurent une sensation d'enveloppement, très agréable à votre enfant.

Massez les articulations

Avec le pouce, tracez des petits cercles appuyés en remontant de la cheville **7** vers l'aine. Au niveau du genou, insistez davantage **8** ; laissez vos doigts découvrir l'articulation, tout en douceur.

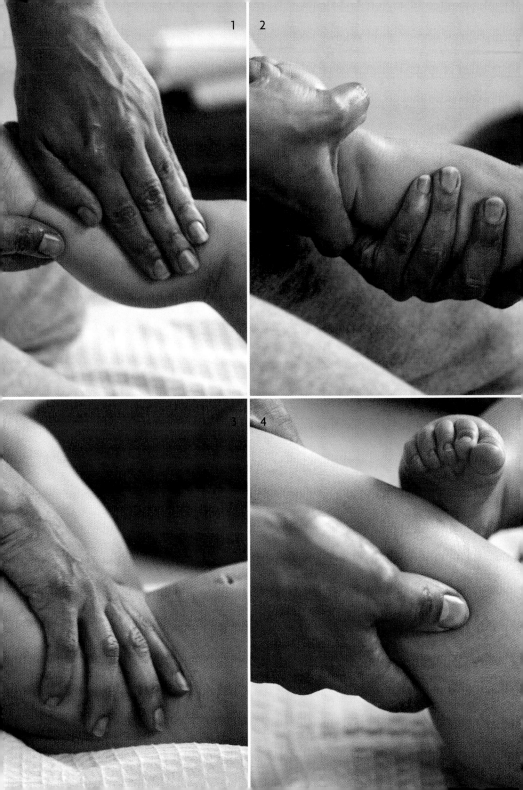

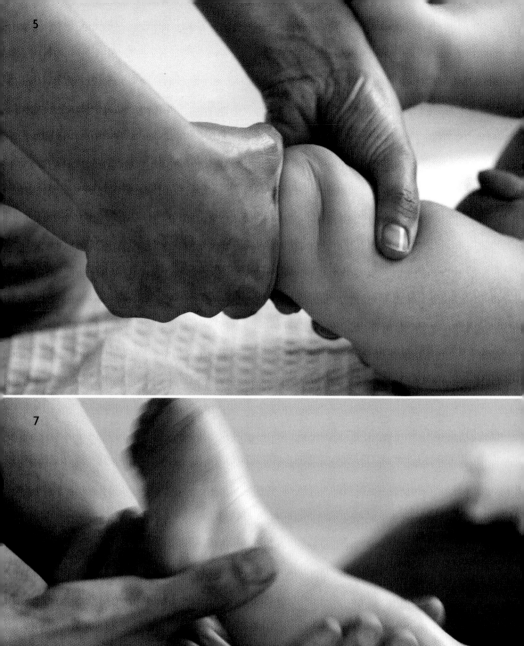

5

7

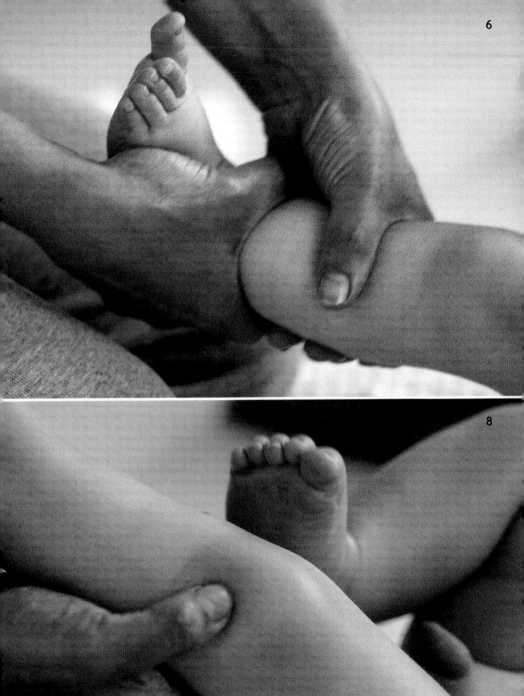

6

Les fesses et le ventre

Les fesses d'un bébé sont en permanence enveloppées de couches et d'habits : le massage va les détendre et agir sur le sacrum, une zone très importante pour l'équilibre général. Le massage du ventre rassure l'enfant ; il possède une action bénéfique sur la respiration abdominale et soulage les petits désagréments digestifs tels que la constipation et les coliques.

Enchaînez des mouvements glissés

Huilez vos mains. Glissez votre main droite, la paume vers le ciel, sous les fesses de votre bébé **1**, puis glissez votre main gauche **2**. Quand vous retirez votre main droite vers vous, glissez aussitôt votre main gauche sous la base de votre bébé. Enchaînez plusieurs fois ces mouvements glissés : ils bercent l'enfant qui, souvent, se balance de droite à gauche et accompagne de ses rires ces allées et venues qui le réassurent dans sa base.

Ces mouvements étirent en douceur la colonne vertébrale, les genoux remontant sur le ventre et le pressant légèrement, et facilitent également l'évacuation des gaz.

À plat sur le ventre

Vous allez maintenant masser le ventre de votre bébé, mais à une condition : qu'il ne vienne pas de manger. Respectez le temps de la digestion, une demi-heure au moins. Délicatement et selon l'âge de l'enfant – plus le bébé est jeune, plus le toucher sera léger – posez votre main huilée à plat sur son ventre. Captez sa respiration. Peu à peu, décrivez de grands cercles dans le sens des aiguilles d'une montre, lentement et régulièrement **3-4**.

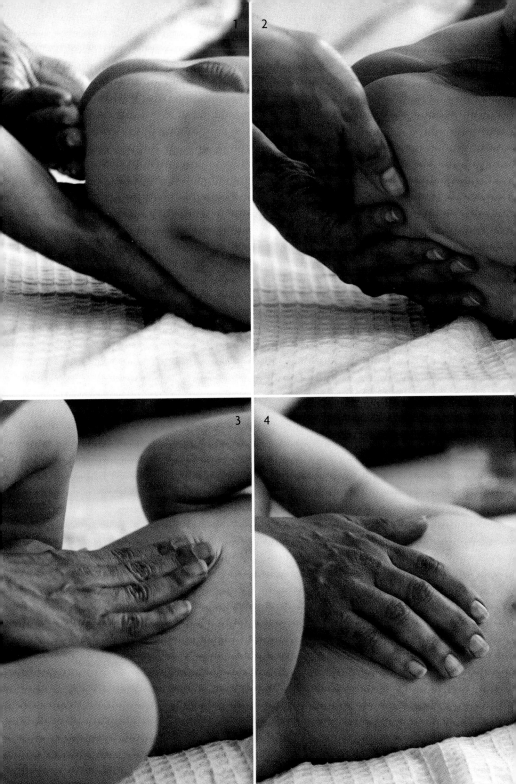

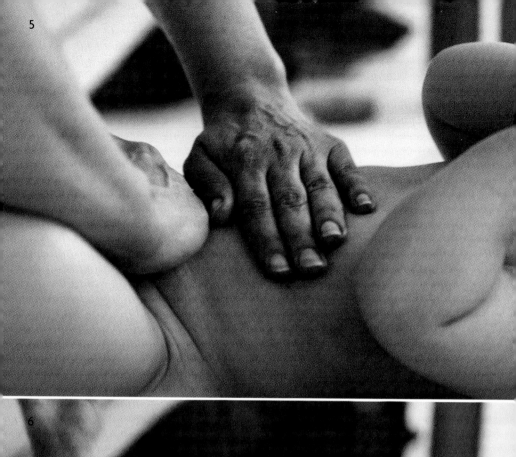

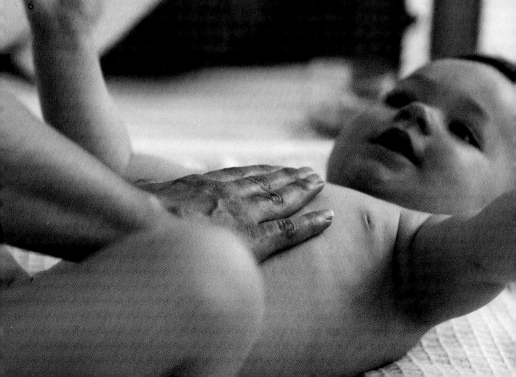

En cas de douleurs

Si votre bébé souffre de coliques ou de douleurs de ventre (voir p. 121), vous pouvez masser son ventre de haut en bas, depuis le plexus solaire jusqu'au pubis, faisant comme un doux balayage de vos deux mains : en alternance, la main droite descend, puis elle est relayée par la main gauche **5**.

Répétez ce mouvement si vous percevez plus de bien-être chez votre bébé qui, souvent, évacue un peu d'air à cette occasion : il libère des tensions au niveau de ses organes digestifs.

Terminez le massage en posant votre main sur le nombril de votre bébé ; concentrez-vous sur sa respiration **6**.

UNE SÉANCE COLLECTIVE

Il est possible d'organiser des séances de massage avec plusieurs bébés et plusieurs mamans. C'est une occasion de rencontres pour les adultes et les enfants qui interagissent très facilement entre eux, même si les âges sont différents. Durant cette période où ils deviennent parents et où la vie prend un nouveau cours, les mamans et les papas sont souvent heureux d'échanger entre eux.

Si un groupe de trois à cinq bébés est souvent agréable, il nécessite une harmonie générale. Les bébés sont sensibles à l'atmosphère : le calme comme les pleurs se diffusent rapidement dans un groupe.

La poitrine, les épaules et le cou

Le massage de la poitrine ouvre le thorax, facilite la respiration supérieure et développe l'amplitude des bras. Le bébé accède alors à un espace plus large. Tandis que le massage des épaules dégage le cou et la tête, et assouplit les articulations. Il est particulièrement bienvenu dès que le bébé commence à se mettre à plat ventre et à pousser sur ses bras.

Un mouvement en ouverture

Posez vos deux mains bien à plat au niveau du cœur de votre bébé **1**. Laissez-les glisser de chaque côté de sa poitrine, dans un mouvement en ouverture, comme si vous ouvriez un livre **2**.

Vous pouvez varier le mouvement en laissant glisser vos mains jusque sous les aisselles de votre bébé, et en les descendant le long de ses flancs **3**. Puis remontez à partir de son plexus solaire et enchaînez à nouveau dans ce grand mouvement en ouverture.

Si votre bébé laisse aller ses bras, reprenez l'ouverture du sternum et prolongez le mouvement jusqu'à l'extrémité des bras écartés en croix **4**.

MASSAGE ET DOUDOU

Si votre bébé veut absolument garder son doudou pendant le massage, ce n'est pas du tout gênant.

Il a simplement besoin de se sentir à l'aise. Le massage est un moment de détente.

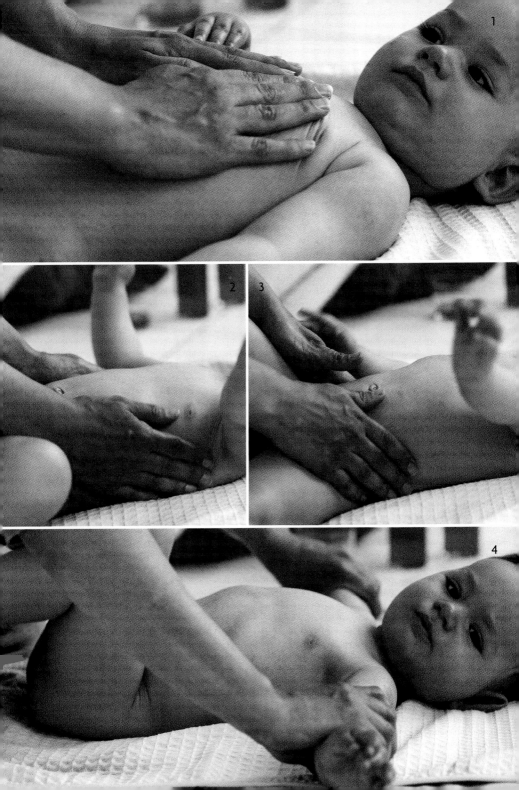

Un mouvement en diagonale

Il existe une autre variante du mouvement en ouverture : à partir du cœur, amenez votre main droite en diagonale vers l'épaule droite de votre bébé et, simultanément, amenez votre main gauche vers la hanche gauche de votre bébé **5**. Effectuez le même mouvement de l'autre côté : faites glisser votre main gauche vers l'épaule gauche de votre bébé, puis faites glisser votre main droite vers sa hanche droite **6-7**. Pour finir, reposez vos deux mains à plat sur le centre de sa poitrine.

Dans le massage de la poitrine, la règle de base est la suivante : massez toujours du centre vers la périphérie.

Le tapotement de la poitrine

Avec le bout de vos doigts, tapotez le sternum et le thorax de votre bébé **8**. La résonance produite conduit souvent l'enfant à faire des vocalises et des bruits qui l'étonnent et l'amusent. Par ailleurs, en cas de refroidissement, c'est une façon très douce de faciliter l'évacuation des mucosités.

Le cou et les épaules

Le cou d'un bébé est parfois peu accessible ; c'est pourtant une zone très sollicitée quand l'enfant est à plat ventre. Dans cette position, si votre bébé relâche la tête, glissez vos doigts sur ses épaules et massez par petits cercles appuyés, puis pétrissez ses trapèzes en douceur **9-10-11**. Pour le cou, mettez vos mains en pinces et effectuez des mouvements de va-et-vient le long de sa nuque **12**. .

MASSER LE BÉBÉ D'UNE AMIE

Depuis que vous avez appris à masser votre bébé, votre meilleure amie veut vous confier son bébé à masser...
Est-ce vraiment une bonne idée ? Si vous êtes très proches, si l'enfant est d'accord et si cela se passe en présence de sa maman, pourquoi pas. L'idéal serait que votre amie découvre l'envie et le bonheur de masser elle-même son bébé. Vous serez certainement son meilleur exemple !

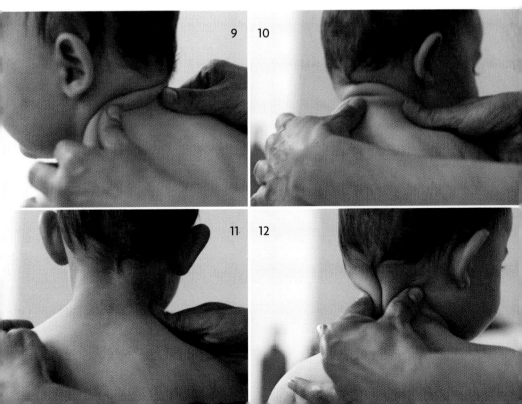

Le dos

Dans le ventre maternel, le petit dos arrondi du bébé se présentait déjà aux mains de son papa et de sa maman. Le massage détend, fortifie les muscles le long de la colonne vertébrale et le long des côtes, et allonge le dos ; il apporte un équilibre et une sensation d'unité de l'ensemble du corps. Lorsque le bébé est allongé sur le ventre, des répercussions se produisent également sur la respiration et sur les organes abdominaux qui sont sollicités en douceur.

Des mouvements longitudinaux

Allongez votre bébé sur le ventre, perpendiculairement à vous. Si vous êtes assis au sol, les jambes allongées, posez votre bébé sur vos cuisses ; son dos est alors légèrement arrondi. Huilez abondamment son dos en décrivant des cercles ou des « infinis » (∞), dans la longueur du dos ou de manière transversale, allant d'un flanc à l'autre. Placez une main sous ses fesses, comme pour le maintenir fermement. Avec votre autre main, à plat, glissez de la nuque jusqu'aux fesses. Exercez une pression douce mais ferme **1-2**.

Recommencez le mouvement plusieurs fois, comme une vague. Les petits plis du dos semblent se rassembler sur les fesses de votre bébé !

De la nuque aux pieds

Vous pouvez également saisir les chevilles de votre bébé et descendre la main qui masse, depuis la nuque jusqu'au bout des pieds, en massant bien l'arrière des jambes **3**. Insistez un peu sur le creux poplité, à la pliure du genou **4**.

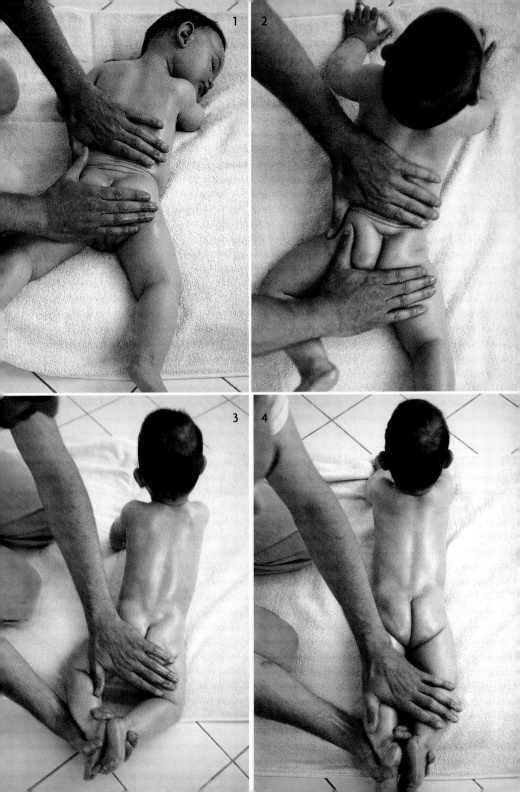

Le long de la colonne vertébrale

Dessinez de petits cercles sur le coccyx de votre bébé avec le bout de vos doigts **5** – l'annulaire et le majeur –, puis posez le majeur à plat sur le milieu du dos, sur la colonne vertébrale. Vous sentez les vertèbres sous votre majeur. Écartez vos autres doigts et plaquez-les de chaque côté de la colonne vertébrale **6**. Remontez votre main jusqu'à la nuque **7**, glissez sur une épaule, entourez-la et revenez le long du flanc, à plat **8**.

Reprenez de l'autre côté. Vous avez dessiné un grand « infini » (∞) sur le dos de votre bébé.

Chacun de vos doigts doit sentir la partie du dos qu'il touche. Modérez votre appui sur la colonne vertébrale ; pensez à alléger la pression de votre main au niveau des lombaires.

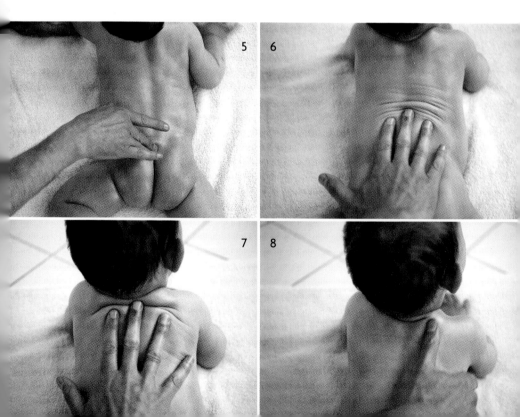

Des mouvements transversaux

Posez vos deux mains à plat sur le dos
de votre bébé, perpendiculairement
à sa colonne vertébrale. Alternez
un mouvement qui va d'un flanc à l'autre,
à la manière d'un zigzag enveloppant **9**.
Le mouvement part de la nuque et va
jusqu'au coccyx **10**. Plaquez bien votre
main sur le dos de votre bébé. La paume
et tous les doigts doivent participer ; vos
doigts doivent épouser la forme du corps
de votre enfant.

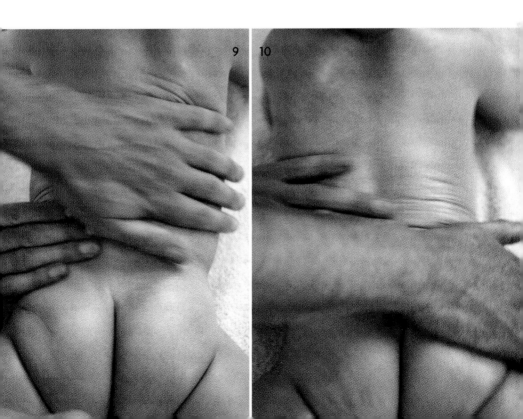

Les bras et les mains

Le massage des bras allonge et détend les muscles, assouplit l'articulation de l'épaule et ouvre la cage thoracique. Le massage des mains, quant à lui, affine une sensibilité particulière. Car, dotés d'une finesse extrême, les doigts possèdent une grande capacité à percevoir le monde extérieur.

Commencez par l'intérieur du bras

Massez un bras après l'autre : avec vos mains, descendez par l'intérieur du bras de votre bébé, depuis l'aisselle jusqu'à la paume **1**. Puis montez par l'extérieur du bras jusqu'à l'épaule **2**. Répétez ce mouvement plusieurs fois, à la manière d'une vague.

Faites des mouvements circulaires

De manière circulaire, huilez avec précaution chacune des articulations, chacun des doigts **3**, ainsi que les poignets, les coudes et les épaules. Si votre bébé ne déplie pas facilement ses bras, n'insistez pas, vous reprendrez plus tard ; parfois, il préfère jouer avec de petits objets. Avec vos deux mains, effectuez autour du bras des mouvements circulaires ressemblant à des « bracelets », comme si vous faisiez de petits essorages très doux, de l'épaule au poignet et jusqu'au bout des doigts **4**.

Les poignets, les mains et les doigts

Après avoir massé l'autre bras, puis les deux bras en même temps si votre bébé en éprouve l'envie, poursuivez par les mains, un peu comme vous l'avez fait avec les pieds (photos p.101 et 102). Tout d'abord, huilez abondamment les mains de votre bébé et massez chacun de ses doigts, en particulier la pulpe et les articulations des phalanges **5**. Puis, avec votre pouce, dessinez des petits cercles dans la paume de chaque main, dans le sens des aiguilles d'une montre **6**. Huilez l'articulation de chaque poignet **7** et, avec vos deux pouces, lissez le dessus des mains par de petits mouvements allant du poignet jusqu'aux doigts **8**.

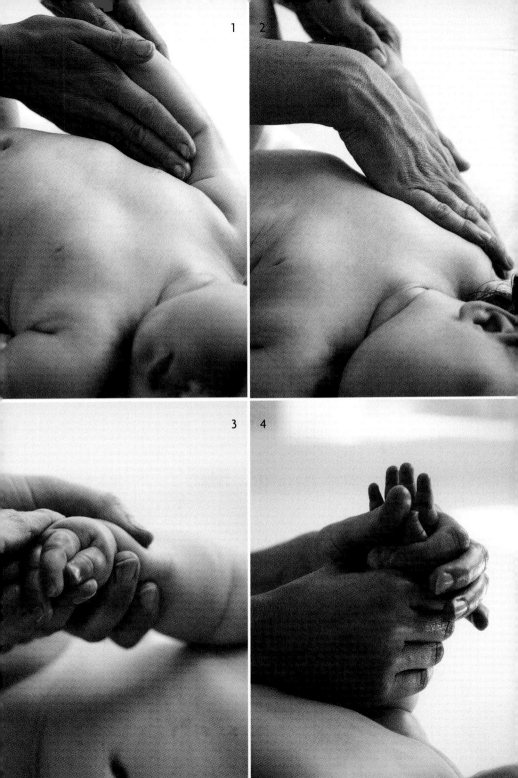

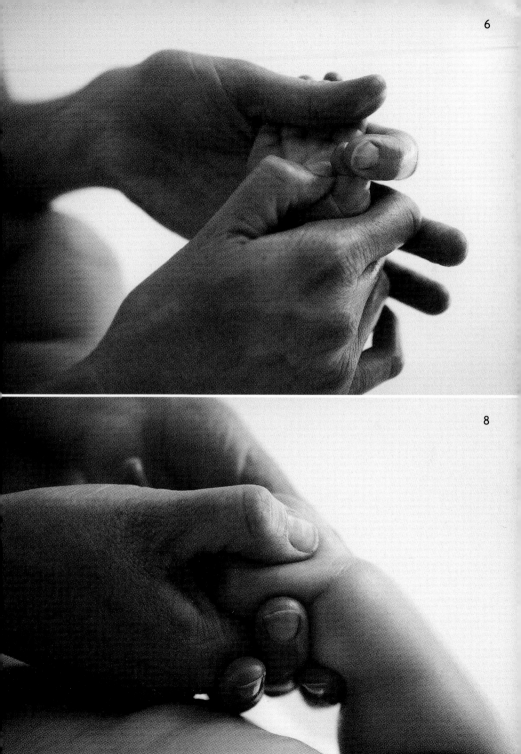

La tête et le visage

Le « chemin » que parcourt un bébé lors de sa naissance procure un véritable massage : lors des contractions et de l'avancée progressive du bébé hors de l'utérus de sa maman, diverses pressions s'exercent au niveau de la tête, ainsi qu'une action sur les cellules nerveuses et la colonne vertébrale. Le massage de la tête sera donc particulièrement bénéfique pour un enfant né par césarienne ou si votre bébé dort toujours du même côté. Le massage du visage ponctue la séance. Faites simple et court pour cette partie qui requiert une confiance particulière. Et si le massage du visage de votre enfant vous semble délicat, commencez par le pratiquer sur vous-même, ou sur un autre adulte, afin d'en découvrir le relief.

Tapotez doucement la tête

Le massage de la tête est très délicat pour les tout-petits : la fontanelle est ouverte pendant un an ; la paroi à cet endroit reste souple car les os ne sont pas encore complètement soudés.

Enduisez abondamment la tête de votre bébé avec de l'huile et enveloppez-la de vos mains **1**. La seule application d'huile est déjà très apaisante. Vous pouvez en rester là si vous le souhaitez.

Sur le dessus, au niveau de la fontanelle principale, tapotez très doucement avec le plat de votre main **2** comme pour faire pénétrer l'huile. Une très grande douceur est bien sûr nécessaire.

À partir de six mois, vous pouvez tapoter avec la pulpe de vos doigts sur la tête, comme une petite pluie **3**. Plus tard,

mobilisez le cuir chevelu comme pour un shampooing **4**. Vous pouvez insister un peu à l'arrière des oreilles, sur la partie osseuse.

Laissez agir l'huile

L'huile possède un excellent pouvoir de pénétration dans la peau, et son action est profonde – d'où la nécessité d'utiliser une huile d'excellente qualité ; en Inde, on utilise de l'huile de ricin, au pouvoir calmant, ou de l'huile de noix de coco, mais l'huile de sésame fera parfaitement l'affaire. Laissez agir l'huile sur les cheveux de votre bébé : elle les nourrit et poursuit son action apaisante, même après la fin de la séance. Après ce massage, prenez soin de couvrir la tête de votre bébé pour éviter la sensation de froid, surtout s'il doit sortir.

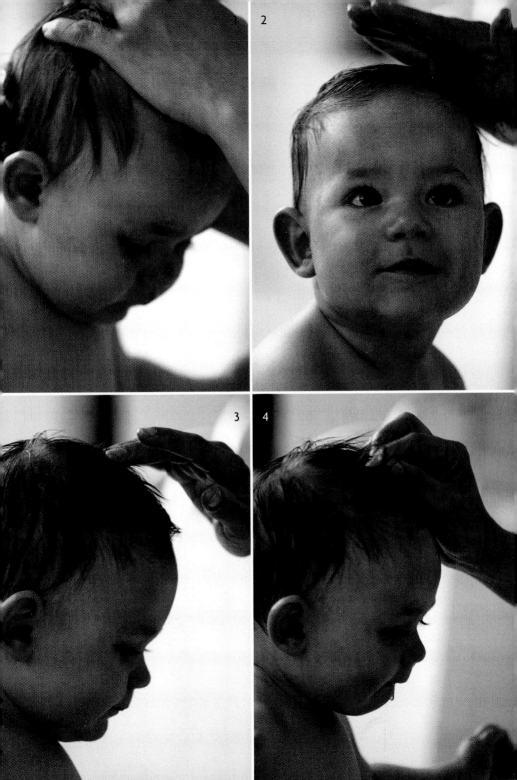

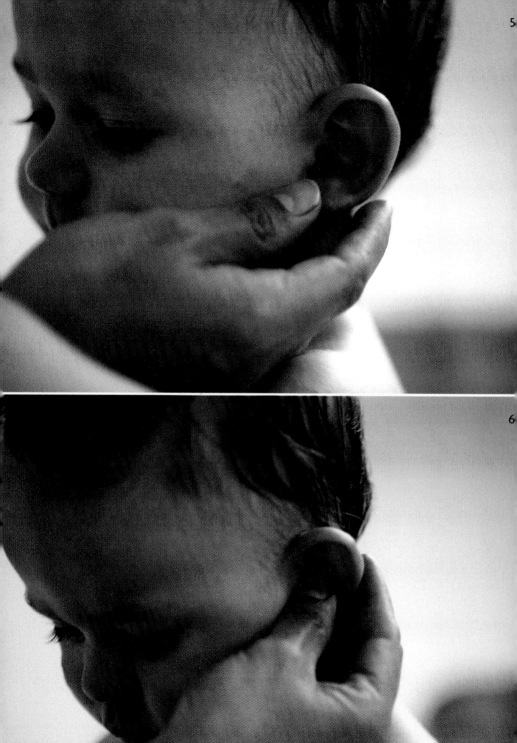

Massez les oreilles

L'ensemble du corps est représenté dans l'oreille, qui a la forme d'un fœtus à l'envers. Les oreilles sont constituées de cartilage et sont en général très souples. Massez-les délicatement en explorant tous les petits replis, comme pour les dessiner **5-6**. Vous pouvez les froisser, les replier ou les étirer très doucement. Pour finir, pendant quelques secondes, posez vos mains en coque sur les oreilles de votre enfant.

Le front, le nez et les pommettes

La règle à observer est de toujours masser du centre vers la périphérie. Lissez le front avec vos pouces, en partant du centre et en allant vers les tempes, selon plusieurs lignes parallèles. Puis dessinez l'arcade sourcilière, de la racine jusqu'à la pointe **7**. Vous pouvez appuyer un peu sur la structure osseuse. Ensuite, glissez vos pouces à la racine du nez **8**, puis glissez-les délicatement sur le haut des pommettes et en dessous ; les sinus de votre bébé s'en trouveront dégagés.

La bouche, les joues et le menton

Dessinez le tour de la bouche de votre bébé, au-dessus puis au-dessous. Faites glisser vos doigts jusque devant l'oreille, qui est le point de ralliement des lignes que vous avez tracées. Massez un peu les joues, sur la partie molle, entre les mâchoires, afin de bien les détendre **9**. Massez le menton. Finissez par une douce caresse sur l'ensemble du visage de votre bébé, en glissant toujours de l'intérieur vers l'extérieur.

SI VOUS AVEZ ADOPTÉ VOTRE BÉBÉ

Masser un enfant est une excellente occasion de tisser des liens charnels, habituellement propres à une grossesse, et de développer une force affective entre parents et enfants. Laissez faire votre envie, si votre bébé la partage. Acceptez son rythme, soyez patient et attentif.

7

8

9

Et maintenant, laissez libre cours à votre imagination!

Vous venez de faire l'apprentissage du massage de votre bébé. À présent, essayez de tout oublier et laissez faire votre cœur : sculptez, modelez le corps de votre enfant, explorez ses petits plis et ses fossettes, insistez sur les articulations, sans trop réfléchir à ce que vous avez appris. Un massage calme et conscient s'accommode d'une petite approximation technique. Quand vous massez, laissez libre cours à votre imagination, laissez-la travailler et, comme sur une page blanche, dessinez quelque chose de merveilleux sur votre enfant. Vous pouvez faire tout ce que vous voulez : le massage est un dessin, un art, une création.

Quand le massage est terminé, pensez à remercier votre bébé : il vous a fait confiance et vous a offert un moment délicieux.

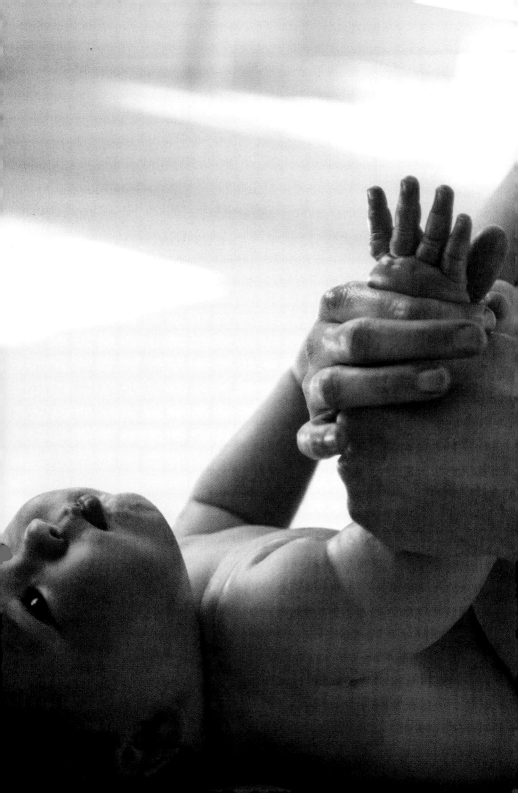

Quelques étirements

Après la séance de massage, vous pouvez proposer quelques étirements à votre bébé. Voici autant de petits jeux qui permettront à votre enfant de découvrir son corps.

Écoutez ses envies cachées...

Très souvent, c'est votre bébé lui-même qui vous suggérera un mouvement. Une communication subtile s'établit entre le bébé et la maman : cette dernière écoute l'envie cachée de son bébé, apprécie si c'est le moment ou non de lui gratter le dos, de lever ses bras ou de caresser son ventre…

Détente et jeu

Pour tous les exercices décrits ci-dessous (photos p.112 à 117) respectez avant tout la morphologie de votre bébé, et surtout son désir. À aucun moment il ne faut le forcer ; il s'agit simplement de détente et de jeu. S'il est prêt, placez-le sur le dos, devant vous, sur le sol. Par ailleurs, tous ces exercices peuvent être pratiqués individuellement, à n'importe quel moment de la journée ; votre bébé peut alors garder ses vêtements.

Ramenez ses genoux sur son ventre

Prenez les pieds de votre bébé de sorte que ses jambes soient allongées l'une contre l'autre **1**. Pliez ses genoux et remontez-les sur son ventre **2**. Pressez légèrement, puis allongez de nouveau ses jambes. Répétez cet étirement trois fois. Cet exercice détend le bas du dos, qui s'arrondit, et facilite l'évacuation des gaz. Le ventre est délicatement massé, les articulations des hanches sont assouplies.

Écartez ses genoux

Placez ses plantes de pied l'une contre l'autre. Les genoux de votre bébé vont alors s'ouvrir naturellement vers l'extérieur. Remontez un peu ses pieds et tapotez légèrement ses cuisses avec le bout de vos doigts. Appelé « le papillon », cet exercice détend les jambes et les articulations.

Croisez ses jambes

Croisez très doucement les jambes de votre bébé, en position fœtale **3**. Remontez ses genoux sur son ventre et croisez ses chevilles. N'insistez pas s'il résiste. Cet exercice détend les articulations, masse les organes internes du ventre, allonge et détend la zone lombaire.

Allongez ses bras

Allongez les bras de votre bébé le long du corps **4**. Puis allongez ses bras au-dessus de sa tête, à plusieurs reprises et sur un rythme très lent **5**. Cet exercice ouvre la partie supérieure de la cage thoracique et facilite une respiration ample et fluide.

Ouvrez sa cage thoracique

Croisez les bras de votre bébé sur son cœur **6**, puis ouvrez-les en douceur **7**. Cet exercice facilite la respiration costale, amplifie l'inspiration et l'expiration.

Étirez tout le corps

Croisez la jambe droite de votre bébé de façon à ce que son pied gauche touche – ou approche ! – son épaule droite **8**. Puis faites toucher sa hanche droite par sa main gauche. Recommencez le mouvement de l'autre côté. Attention : ne forcez surtout pas cette posture. Cet exercice étire l'ensemble du corps en diagonale. Il assouplit les articulations des hanches et des épaules.

Soulevez-le entièrement

Soulevez très doucement les jambes de votre bébé, en tenant fermement ses pieds. Soulevez le bas de son dos **9-10-11** et, si vous vous sentez à l'aise, soulevez complètement votre bébé, qui va alors se retrouver la tête en bas. Pour revenir à la position initiale, déposez très doucement sa tête, déroulez son cou puis sa colonne vertébrale. Au besoin, faites-vous aider. Attention : quand votre bébé vient d'être massé, ses pieds sont glissants. Cet exercice allonge la colonne vertébrale, allège le poids des organes et agit sur la pression et la circulation des liquides organiques.

Balancez-le doucement

Prenez fermement les deux chevilles de votre bébé d'une main, puis ses deux poignets de l'autre. Soulevez-le très délicatement du sol. Sa tête penche doucement en arrière. Vous pouvez balancer votre bébé **12**. Ne faites cet exercice que si vous vous sentez vraiment à l'aise. Attention : la peau de votre bébé peut glisser.

VOTRE BÉBÉ DORT TRÈS LONGTEMPS APRÈS LE MASSAGE

Après une séance de massage, le sommeil d'un bébé peut être différent, plus profond et plus long, et ses horaires peuvent être modifiés. C'est tout à fait normal, car il a accumulé beaucoup de sensations et il a besoin de temps pour les intégrer profondément.

VOTRE BÉBÉ PLEURE PENDANT OU APRÈS LE MASSAGE

Les pleurs survenant en cours ou à la fin d'un massage signifient peut-être que votre bébé a reçu assez de stimulations et qu'il a besoin de se reposer. Il se peut qu'il soit sensible à un paramètre auquel vous n'avez pas pensé : une lumière dans les yeux, une parole trop forte... Les pleurs sont aussi une forme d'élimination et votre bébé a des émotions à exprimer. Parfois, il n'a tout simplement pas envie qu'on le rhabille après ce bon moment. Alors pourquoi ne pas l'envelopper dans un linge chaud et le laisser attendre un peu dans vos bras ?

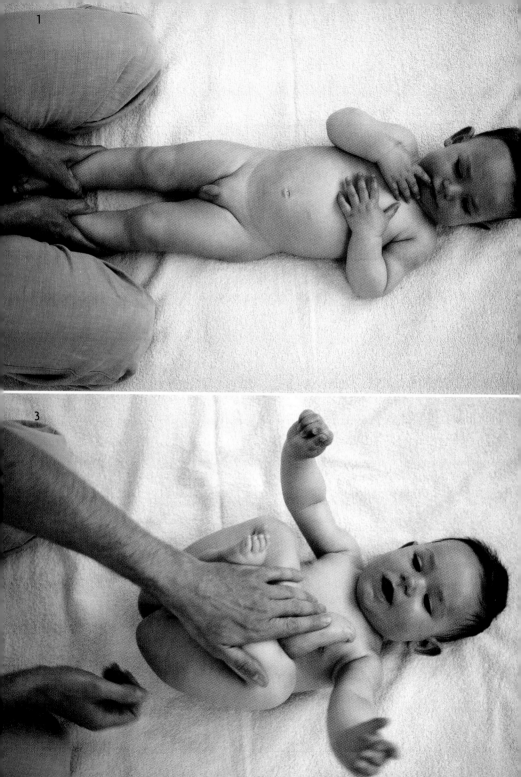

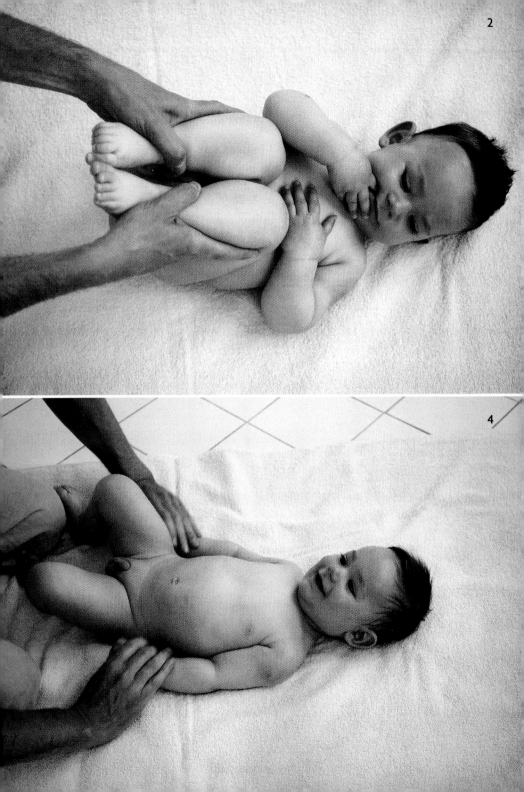

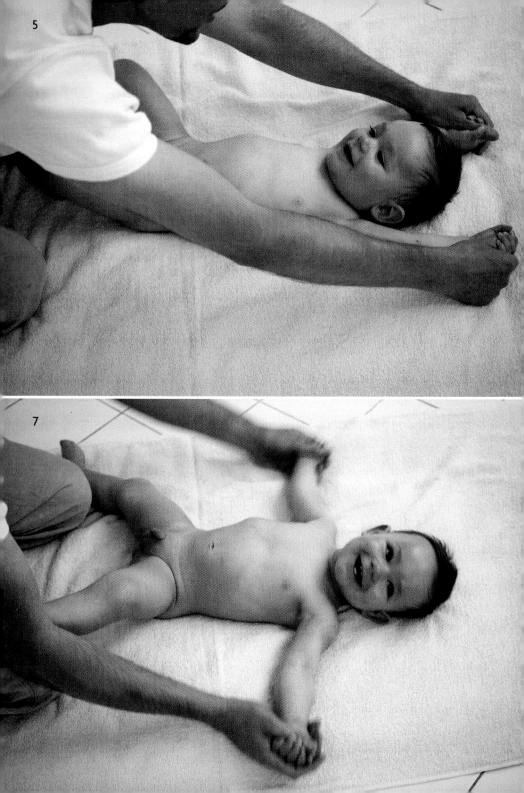

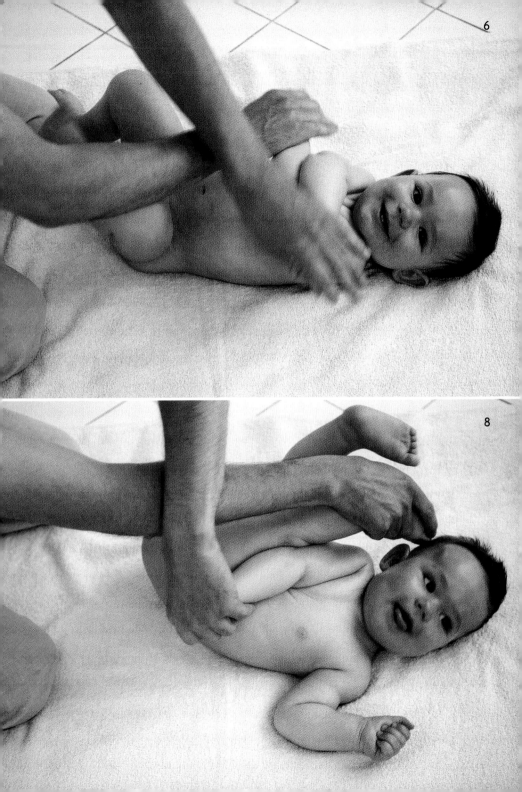

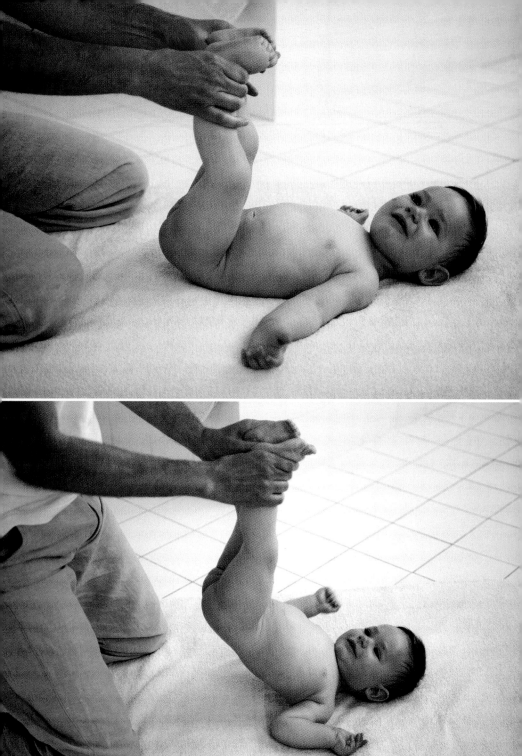

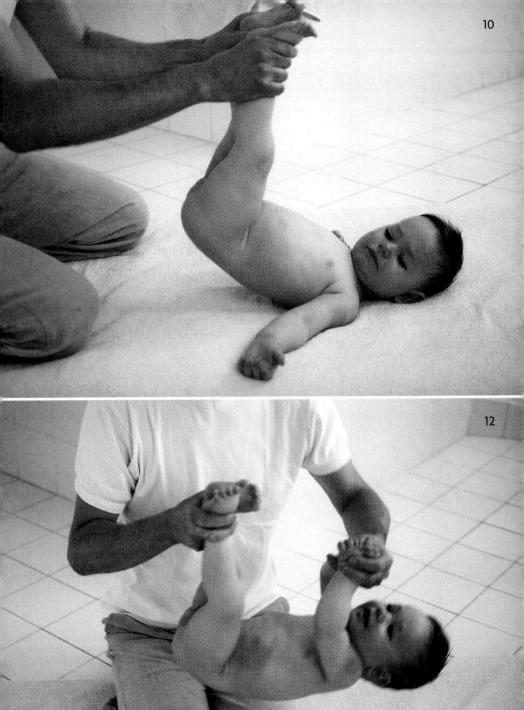

10

12

ET APRÈS...

La détente et le bain

Ce qui se passe après la séance de massage proprement dite revêt une grande importance et se passe tout en subtilité. Poursuivez le bain des cinq éléments comme cela vous est maintenant suggéré. Nourrissez votre enfant, et vous-même, de sensations délicates mais profondes, qui agiront comme un point d'orgue au délicieux moment que vous venez de partager.

Au soleil

Ensoleillez le corps de votre bébé dans la lumière du jour ou, si cela est possible, mettez-le à la lumière directe du soleil levant ou couchant – pour être ainsi en contact avec l'élément Feu (voir p. 22). Vous pouvez être à l'extérieur, ou derrière une fenêtre. Jouez avec votre bébé en le plaçant à l'ombre et à la lumière, montrez-lui les reflets d'un objet brillant, une bougie…

À l'air

Quand votre bébé est « vêtu des quatre directions », c'est-à-dire dans le « costume de naissance », ce ne sont pas seulement son nez et sa bouche qui respirent mais ce sont toutes les parties de son corps, ce sont tous les pores de sa peau. Votre bébé est ainsi en contact avec l'élément Air. Jouez avec lui, faites-lui sentir le mouvement de l'air, le souffle du vent si vous êtes dehors – en évitant les courants d'air ! Soufflez sur sa main, faites-le souffler sur un jouet, sur une fleur…

Pâtes et poudres

C'est le moment de prendre contact avec l'élément Terre. Vous pouvez enduire le corps de votre bébé d'une pâte que vous aurez confectionnée (voir p. 64) ; le mélange doit être à la température du corps. Étalez la pâte sur son corps en reprenant les gestes du massage que vous connaissez déjà. Puis rincez votre bébé. L'utilisation de poudres, comme de la farine de pois chiches par exemple, est possible, mais cela risque de dessécher la peau de votre enfant.

La subtilité des chants

Une fois leur bébé habillé, les mamans indiennes maquillent leurs yeux avec du khôl, qui protège ceux-ci des poussières et du soleil. Puis la séance se termine par la tétée et, selon la tradition indienne, le bébé s'envole dans une méditation profonde et subtile vers le monde du sommeil et des rêves, qui est peut-être en lien direct avec l'âme. Correspondant à l'élément Éther, l'ambiance subtile peut être créée par les chants de la maman.

Dans l'eau

Lorsqu'un bain (ou une douche) est donné après le massage, l'eau chaude et la vapeur font une sorte de sudation du corps. En général, c'est pour le bébé un merveilleux moment de détente. En ayurvéda, la pratique de la sudation est importante ; c'est l'un des soins qui permet l'élimination des toxines et des tensions. Selon la saison, l'eau sera tiède ou chaude. Testez la température sur vous-même afin de vous assurer que cela conviendra à votre bébé.

En Inde, la maman allonge son bébé sur ses jambes nues ou sur des linges fins avec lesquels elle prépare un petit matelas. Elle surélève légèrement sa tête, puis le lave, en versant sur lui de l'eau comme pour une petite douche, y compris sur le crâne. La pâte confectionnée au préalable fait office de savon doux. C'est seulement quand il est propre que la maman laisse son bébé jouer dans un récipient rempli d'eau propre. Il bénéficie alors des bienfaits de l'élément Eau sans les impuretés de la toilette.

CONTRE LE RHUME ET LE MAL AU VENTRE

Chez les jeunes enfants, les rhumes sont très fréquents, de même pour les maux de ventre. Parce que les divers troubles de la santé représentent parfois une demande de présence des parents, le massage, ou tout simplement le fait de poser les mains sur votre bébé, va l'aider, va satisfaire son besoin fondamental de sécurité. Voici quelques conseils pratiques pour soulager votre enfant :

En cas de refroidissement

Pratiquez le massage de la poitrine avec de l'huile chaude et du thym indien. Massez les pieds avec une huile essentielle, du type *Eucalyptus radiata* ou *Ravensare* aromatique. D'une façon assez appuyée, massez la région du nez, des sinus et du front : commencez par l'arête du nez, pouce et index joints à la manière d'une pince. Massez le dessus des sourcils en allant du milieu vers les extrémités, et en appuyant un peu. Ensuite, posez vos pouces de chaque côté du nez, à la racine, puis redescendez le long de la structure osseuse et le long des sinus, en allant toujours du centre vers la périphérie.

En cas de mal au ventre

Mettez une goutte d'huile de moutarde dans le nombril de votre enfant. Posez votre main droite sur son nombril, puis votre main gauche sur sa tête ou sur son front. Respirez tranquillement pendant quelques instants. Si le mal de ventre persiste, utilisez un mélange composé de fleurs de calendula et de fenugrec macérés dans de l'huile de sésame. Faites de légers mouvements sur tout le ventre dans le sens des aiguilles d'une montre. Faites rire votre bébé en le chatouillant un peu ; son diaphragme sera ainsi détendu. Faites-lui de très légères caresses autour du nombril, toujours dans le sens des aiguilles d'une montre. Placez un tissu de coton ou de soie sur son ventre et soufflez trois fois : la chaleur douce et régénératrice se répandra dans le corps et l'esprit de votre enfant.

Le massage de l'enfant

On parle de massage du bébé depuis le vingt-huitième jour jusque vers deux ans environ. Ensuite, il s'agit du massage de l'enfant qui, dans l'esprit, n'est pas fondamentalement différent. À partir de quatre ou cinq mois, et ensuite à tous les âges de votre enfant, vous devrez vous adapter à ses mouvements lorsqu'il commencera à se déplacer et à témoigner de besoins spécifiques. Le massage deviendra un moment de grande communication quand votre enfant sera capable de le décrire oralement et d'exprimer ses envies. Ce sera alors un grand bonheur de l'entendre prononcer les mots révélant à quel point il l'apprécie. Le massage est un moment d'amour partagé, un moment aujourd'hui trop rare dans nos sociétés.

Adaptez-vous à l'âge de votre enfant

Dès l'âge de six mois environ, votre bébé va se retourner, attraper les objets qui l'entourent, et sa réceptivité au massage sera différente. Et quand il marchera à quatre pattes, le massage que vous aurez appris sera moins adapté que jamais. Il restera dans vos gestes le massage que vous avez intégré et votre faculté d'adaptation ; si vous avez pratiqué souvent, cela viendra tout naturellement. Le point essentiel est de ne pas vous inquiéter et de ne pas vous sentir déçue si la séance ne se passe pas comme vous l'aviez prévu. Si, à dix-huit mois, votre enfant refuse les massages alors qu'il adorait ça plus jeune, ne faites rien, attendez simplement que l'envie revienne.

Continuez à le lui proposer, donnez-lui une poupée et de l'huile, et laissez-le jouer s'il le souhaite. Faites-vous masser de votre côté ou continuez éventuellement à pratiquer le massage avec vos autres enfants.

Soyez attentive à ses réactions

Lors des massages, les enfants manifestent parfois des réactions émotionnelles : des rires, une envie de gros câlin, une envie de calme, voire une colère... Toutes ces réactions sont normales. Il est important de les accueillir, les accompagner avec tendresse, attention et neutralité bienveillante.

Quand votre enfant est vraiment grand

Est-il contre-indiqué de masser un enfant au-delà d'un certain âge – à l'adolescence par exemple ? Telle est peut-être la question que vous vous posez. Sachez que le massage est un bienfait à toutes les périodes de la vie et, dans les cultures du toucher, rythme les moments forts de l'existence – la naissance, le mariage, les grands changements… Il n'existe aucune contre-indication à pratiquer le massage, dans la mesure où règne un climat de confiance réciproque, quand le masseur et le massé se trouvent dans un état juste, sain et équilibré.

Contentez-vous de masser quand la demande vous en est faite, ne vous imposez pas. Essayez de ne pas investir dans le massage vos propres tensions ou vos propres problèmes. De même, ne cherchez pas à « faire du bien » et à vous positionner comme un masseur qui sait mieux que le massé ce dont il a besoin. Soyez simplement quelqu'un qui transmet une pratique millénaire, sans chercher à vous l'approprier, sans vouloir « planter votre drapeau » sur ce que vous faites et sur qui vous le faites.

En cas de gêne ou de pudeur

Si vous ressentez de la gêne ou une pudeur excessive à masser un enfant plus grand, abstenez-vous. Ce sentiment est souvent le signe que le toucher nous est peu familier. Il est probable que, si les enfants et leurs parents intégraient peu à peu le massage dans leur quotidien et leur culture, leur besoin de contacts et de nourriture affective serait comblé d'une façon saine.

QUAND CE SONT LES ENFANTS QUI MASSENT

Les adultes sont parfois étonnés de découvrir le plaisir que les enfants ont à masser, parfois de longs moments et sans se lasser, avec une concentration, une qualité de toucher et une justesse de mouvements étonnantes de la part de quelqu'un qui n'a pas appris. S'il n'a pas appris d'une manière classique, l'enfant a intégré d'une autre manière, par l'expérience, l'observation et l'intuition : c'est une grande leçon pour tous les élèves de massage, qui prennent des notes très précises mais oublient de regarder et de s'« imprégner ».

« PAR LA PAROLE ON TOUCHE, PAR LE TOUCHER ON PARLE »

Glossaire

A

ABHYANGA : massage du corps à l'huile.
AGNI : élément Feu, énergies de transformation.
AJOWAN : le « thym indien »
(*Trachyspermum ammi*) appartient
à la famille des ombellifères.
AKASHA : élément Éther.
APANA VAYU : énergie d'expulsion
ou d'élimination.
ASANAS : postures de yoga.
ASTHI : os.
AYUR : élan vital.

B

BALA : huile ayurvédique composée
d'huile de sésame et de plantes
ayurvédiques.

C

CHANDAN BALA LAXADI : huile
ayurvédique réalisée à partir d'huile de
sésame et comprenant près de trente
plantes différentes.

D

DHATUS : soutenir, nourrir, tisser
(donnant le terme « tissus » au sens
anatomique).
DOSHAS : « humeurs ».

G

GHEE : beurre clarifié.

H

HATHA YOGA : yoga du corps.

J

JALA : élément Eau.
JATHARA PARIVARTANASANA : posture
de torsion en yoga.

K

KANSU : bol en alliage métallique utilisé
pour le massage des pieds.
KAPHA : un des trois *doshas* (voir ce mot).
KAUMARA BHRITYA : branche de
l'ayurvéda, correspondant à la pédiatrie,
qui va de la conception de l'enfant jusqu'à
l'adolescence.

M

MAJJA : moelle.
MALAS : éliminations, toxines.
MAMSA : muscles.
MANTRAS : phrases ou syllabes en
sanskrit. Leur prononciation produit des
vibrations sonores subtiles qui possèdent
une action sur les émotions et les plans
intérieurs de l'être. En lien direct avec
la respiration (*prana**), les sons agissent

également sur le corps physique, les sécrétions glandulaires et les centres énergétiques qui y sont liés. Les mantras apaisent et équilibrent.

MAYURPINCHH SAMVAHANA : massage ayurvédique réalisé avec une plume de paon.

MEDA : graisse.

MUTRA : urine.

O

OJAS : lumière, aura, immunité.

P

PAVANAMUKTASANA : posture du fœtus en yoga.

PITTA : un des trois *doshas* (voir ce mot).

PRAKRUTI : nature profonde de l'être.

PRANAYAMAS ET PRANA : respirations, souffle.

PRASARINI : huile ayurvédique à base d'huile de sésame et de plantes.

PRASWEDA : transpiration.

PRITHVI : élément Terre.

PURISHA : selles.

R

RAKTA : équivalent du sang.

RASA : jus nourricier issu de l'alimentation.

S

SANKALPA : résolution intérieure.

SHAVASANA : posture de grand repos en yoga.

SHUKRA : tissus séminaux.

U

UDGHARSHANA : massage à base de sel, de plantes ayurvédiques et de yaourt.

V

VATA : l'un des trois *doshas* (voir ce mot).

VAYU : élément Air.

VEDA : connaissance.

VIKRUTI : équilibre/déséquilibre des *doshas* (voir ce mot) à un moment donné.

Y

YOGA NIDRA : yoga de la relaxation profonde.

remerciements

Tout notre cœur à Falguni et Pankaj Vyas pour leur belle présence et leur façon de partager l'enseignement de l'ayurvéda et du massage des bébés.

Un grand merci aux bébés de ce livre, Lucien et Faustine, pour leur humeur joyeuse et leurs sourires lors des séances photo, ainsi qu'à leurs parents, Catherine et Olivier, Rachel, pour s'être « livrés » à l'objectif dans cette pratique si intime.

Un grand merci aussi à Jean-François Chavanne, notre photographe, pour sa grande patience et son calme.

Une pensée affectueuse à Corinne Dupont et Françoise Lisbonis pour leur soutien permanent.

Shopping

Flacons : Résonnances ; linge de toilette : La Maison des abeilles ; coussins : Casa.

Huiles ayurvédiques

Centre Tapovan

9, rue Gutenberg

75015 Paris

Tél. 01 45 77 90 59

www.tapovan.com.fr

- ouvrages sur l'ayurvéda
- huiles et bols de massages
- ateliers de massage pour les bébés (sur rendez-vous)
- massages ayurvédiques (sur rendez-vous)
- stages et formations
- cures ayurvédiques

Imprimé en France par Mame

Dépôt légal : janvier 2008

ISBN : 978-2-501-05155-2

40.8630.2/01